Chambre à part

Maryse Wolinski

Chambre à part

RÉCIT

Albin Michel

22, rue Huyghens, 75014 Paris

www.albin-michel.fr

ISBN 2-226-13309-7

« Je suis un mensonge qui dit toujours la vérité. »

JEAN COCTEAU

« Ton secret est ton sang. Si tu le donnes, tu meurs. »

PROVERBE BERBÈRE

Les couloirs de l'hôpital sont trop longs. Trop exigus. Trop sombres. Des kilomètres d'une tristesse absolue. Un désert de solitude intolérable qui me sépare de lui depuis l'instant où j'ai quitté l'appartement, depuis qu'une dernière fois, mes lèvres ont embrassé les siennes. La crise était survenue après mon départ. Un ami médecin, qu'il avait eu le réflexe d'appeler, l'avait fait hospitaliser en urgence.

Revoir les images de la veille, du seuil de sa chambre : son visage douloureux, son teint pâle, sa bouche exsangue, le masque d'un âge que je ne lui avais jamais connu.

Nous avions dîné chez Hélène et William. Assis l'un en face de l'autre, je me souviens qu'il m'avait embrassée au-dessus de la table, couverte des reliefs du repas. Nous étions ivres de vin, de gaieté et d'amitié, nous n'avions pas envie de desservir. Hélène avait disposé les coupes de champagne et les verres à cognac, avec toute une série de bouteilles, jaunes, vertes, ambrées, que nous ne cessions d'ouvrir et de fermer. Il serrait mes lèvres contre les siennes, sans se soucier des autres convives, trop bavards et déjà perdus dans les brumes de l'alcool. Accoutumés aussi à nos effusions, peut-être, envieux de ce bonheur que, presque trente ans plus tard, nos corps exprimaient encore.

Hélène faisait sauter le quatrième bouchon de champagne. William proposait un joli choix de cigares. Lui, allumait le troisième de la soirée. Depuis qu'il avait quitté mes lèvres, il ne posait plus son verre.

– J'aime tes baisers au goût de cigare, avais-je chuchoté à son oreille.

J'oubliais sa fatigue des derniers jours, les mystérieuses douleurs dont il se plaignait.

Souvent, chez Hélène et William, les soirées sont des grands moments d'amitié où nous faisons abstraction du passé et du futur. Reste un présent d'une intensité qui couvre l'espace du temps. J'étais sortie dans la cour-jardin de la maison. Je voulais respirer la fraîcheur nocturne de ces derniers jours d'août. Sa voix empâtée a dominé le brouhaha. Je me suis rapprochée de la verrière derrière laquelle la table avait été dressée. Il s'est retourné. Son cigare brûlait au bout de ses doigts. Il l'a porté à ses lèvres, a tiré dessus, l'incandescence a éclairé son visage et j'ai eu peur : une couleur verdâtre inhabituelle déformait ses traits. Une brusque inquiétude m'a précipitée à l'intérieur de la pièce.

Au moment où j'allais le rejoindre, je sentis le regard d'un vieil ami, Max-Henri, posé sur moi. Je n'aurai jamais la clé de mes comportements de séduction qui toujours se décident sans prévenir. Est-ce mon inusable souci d'élucider ce que j'appelle l'« éternelle affaire des relations complexes entre les hommes et les femmes » ? Ou bien, dans un jeu de l'inconscience consciente, l'inaltérable désir d'attiser sa jalousie en épousant, avec le talent dont je dispose, le rôle de séductrice ? Rôle que j'ai adopté, avec une certaine obstination, assez tôt dans ma vie, – j'avais tout juste une dizaine d'années –, à partir du moment où j'ai observé la concupiscence d'un homme qui me regardait. La séduction comme jeu.

J'avais pris place sur le bras du fauteuil où était assis Max-Henri, qui s'est alors lancé dans un interminable monologue chuchoté que j'ai fait mine d'écouter. J'avais la tête ailleurs, l'œil fixé sur celui qui depuis trente ans ne cessait d'écrire, de dessiner, de clamer l'amour qu'il éprouvait pour la femme que je suis. Son regard était brouillé par l'alcool et la fumée du cigare. Quand il remarqua mon manège, ses lèvres dessinèrent une esquisse de sourire. Il écrasa dans le cendrier le bout encore incandescent du Cohiba et vint vers moi.

– Je voudrais rentrer, murmura-t-il à mon oreille.

Je passai ma main sur son visage en sueur.

– Ça ne va pas ? demanda Hélène, qui s'était précipitée vers lui.

Il l'embrassa sans répondre. Je ne fus pas la

seule à m'apercevoir qu'il portait déjà le masque de la souffrance. Les autres se pressèrent autour de lui. Max-Henri nous prit tous les deux dans ses bras et nous embrassa. William nous accompagna à la porte. Il chancela jusqu'à la voiture garée quelques mètres plus loin.

En chemin, tandis que nous roulions vers notre quartier, il me supplia d'accélérer : la douleur le torturait. Dans le hall de l'immeuble, les trois étages qui nous séparaient de l'appartement parurent une montagne inaccessible. Nous avons gravi les escaliers marche par marche, serrés l'un contre l'autre. Deux naufragés sans bouée. J'éprouvais une étrange impression, comme si ses douleurs étaient devenues miennes. Aussitôt arrivé, il prit plusieurs comprimés d'aspirine – je ne sais d'où lui vint cette excellente inspiration, puisque l'aspirine fluidifiant le sang, celui-ci circule mieux dans les artères. De mon côté, j'avalai deux comprimés de paracétamol.

Il s'est déshabillé. J'observais la lenteur de ses gestes. Deux idées m'obnubilaient. La première était une phrase que je lui avais dite quelque temps auparavant. Plutôt une boutade. Sinon que mes boutades sont rarement gratuites ! Il m'avait expliqué qu'être vieux, se laisser envahir par la vieillesse, procurait une jouissance inédite. « Sais-tu que c'est une sorte de gourmandise merveilleuse ? » A quoi j'avais aussitôt répondu : « Je t'interdis de vieillir, ça c'est pour les autres, pas pour toi. »

Le souvenir de cette réaction me mit au supplice. Le remords m'aurait envahie tout entière, s'il n'avait été contrebalancé par cette autre idée qui me tiraillait : appeler le SAMU.

Appeler le SAMU. Il le faut. Je le dois. Je le pense. Je ne connais plus le numéro. Il suffit que j'appelle les renseignements, la police, les pompiers. Tout le monde connaît par cœur ce numéro du SAMU, sauf moi, ce soir.

Je tourne autour du téléphone. Je m'agite, mais je n'agis pas. Je n'y parviens pas. Ce serait reconnaître l'inacceptable, donner statut à l'impossible. Admettre qu'il pourrait, lui aussi, comme d'autres, être malade, que lui aussi serait vulnérable. Impensable ! Pas lui !

– Va dormir ! dit-il tout bas. On verra demain.

Un dernier regard, un baiser du bout des

lèvres. Il m'encourage à le laisser et tire la porte de sa chambre.

Souvent, quand j'entends ce claquement sourd, je regrette le soir d'il y a quelques années, après le départ de notre enfant, où j'ai suggéré que nous fassions « chambre à part ». Depuis quelque temps, nous en parlions, sans plus. A une situation neuve devaient correspondre de nouveaux codes de séduction. Il y eut des plans, des hypothèses pour jouer à créer des arguments de provocation inhabituels et dépoussiérer les habitudes. Tester la nuit l'un sans l'autre. L'idée nous avait plu. Ce serait l'expérience d'un autre désir. Plus vif, plus intense, plus fantaisiste. La routine s'incruste quand on partage le même lit. Ainsi a commencé une vie de couple avec une mise en scène revisitée par l'inconnu, où tout redevenait imprévu. Pourtant, certains jours, je n'ai pas envie qu'il me quitte. Je regarde longuement la porte fermée. Je la forcerais bien. Je renonce. Ce serait violer nos codes.

Et ce soir, alors qu'il est envahi par la souffrance, sitôt réfugiée dans ma chambre, je trouve le sommeil. Je m'éclipse.

Au réveil, il m'avait semblé aller mieux.

Le coup de fil m'a surprise dans la rue. Une voix connue, notre ami médecin. Je n'ai rien compris à ce qu'il marmonnait, sinon deux mots que je haïssais : hospitalisation, infarctus. Mon père était mort d'un infarctus. Mon premier réflexe, tout en hélant un taxi pour me rendre à l'hôpital, fut d'appeler une amie médecin, Patricia. Elle s'efforça de me rassurer sans trop y croire. Elle évoqua les malaises de ces derniers temps, les fatigues, les siestes répétées dont je me plaignais, les kilos pris, le stress provoqué par un récent redressement d'impôts, la peur de voir disparaître sa mère, la vieillesse qu'il pensait inéluctable. Quand je raccrochai, j'eus l'impression d'avoir tout vu sans voir. Comme au début de notre rencontre, je me sentis coupable d'innocence.

La salle d'attente grise et déserte de l'hôpital. J'ai la tête vide. Un ciel morne salit les vitres. L'interne de service a surgi de nulle part. Je ne le vois pas. Il parle. Un brouillard de bruits, des sons froissés, comme une radio mal réglée. Je suis dans une bulle. Les phrases me reviennent assourdies. Quelles phrases ? Je fais un effort pour écouter. Il est question d'une intervention, elle aura lieu le lendemain, mais le chirurgien – suit le nom d'un professeur – n'en connaît pas encore la nature. Pratiquera-t-il un ou plusieurs pontages, voire une simple angioplastie... ? Ce sont les examens qui décideront.

– Votre mari abuse de tout, comme la majorité de ceux qui débarquent ici. Il boit trop, mange trop, fume trop. A force de « trop », le corps se rebelle. Voilà le résultat. Sauf que nous ne sommes jamais sûrs de ce qui va se passer pendant et après l'intervention !

Il s'est tu. Il me semble que je le regarde. En tout cas, il le croit. Il attend. Je voudrais lui poser des questions. Aucun son ne sort de ma gorge : elle est emplie de sanglots qui se sont bloqués les uns dans les autres, incapables d'éclater. Il reprend :

– De toute façon, il fera comme les autres, il reviendra... avec les mêmes symptômes, parce qu'il aura recommencé à boire, à fumer et à trop manger !

Sa dernière remarque a sur moi l'effet d'une décharge électrique. Je me surprends à le haïr. Il n'insiste pas et disparaît.

Dans le couloir, l'arrivée d'un nouveau malade, escorté par des médecins du SAMU, vient de provoquer une brusque fébrilité. Une civière sur roulettes, un corps étendu, inerte, surmonté d'un masque à oxygène tenu par un médecin, un visage au teint cireux, ce même teint que j'avais observé la veille, en rentrant de la soirée chez Hélène et William.

La nuit est longue et blanche. Défilent les années. Trente ans de la vie d'un couple. Un parcours ponctué de rêves, d'échecs, de triomphes. S'aimer, c'est regarder dans la même direction, m'avait appris ma mère, citant Saint-Exupéry. Nous avons toujours regardé dans des directions contraires. Nous nous sommes donnés corps et âme – même si lui affirme qu'il n'a pas d'âme –, mais à l'inverse de ce que Musset préconisait (« Aimer c'est se donner corps et âme, ou pour mieux dire, c'est faire un seul être de deux. »), nous serons toujours dissemblables et cependant complémentaires. Mystère des choses : je pense à un « toujours », alors que la réalité s'est mise à vaciller, que dans la seconde où nous sommes l'incertain a pris le pas sur le futur et hypothèque l'avenir.

J'ai pleuré en silence. Je ne voulais plus penser. Oublier qu'il y aurait un lendemain à ce jour sinistre, revenir à hier et bloquer le temps, empêcher qu'il y ait un aujourd'hui.

En moi, longtemps, l'ennui s'était conjugué à l'ennui. Je trouvais l'existence pesante. Interminable. L'existence ? Une sorte de malaise diffus dans lequel je baignais. La sinistrose me poursuivait comme un chien son maître. L'habitude faisant, j'avais fini par cultiver le sentiment du vide, initiateur de maigres frissons. De cette vie sans vie, un jour, naîtrait LA vie, la vraie. J'entretenais cette douce illusion.

Voilà qu'un homme, la trentaine flamboyante, au jugé, en somme presque un « vieux » pour ma petite vingtaine, me confie que je lui plais. Le lendemain de ce jour historique, je découvre sa photo dans un quotidien. Je lis dix fois l'article qui le concerne et je n'en crois pas mes yeux. Le journaliste écrit qu'il est « explosif », que son humour est « féroce », « meurtrier », que la pièce de théâtre, « antilittéraire et parfaitement écrite », qui va se jouer dans les prochains jours, a été composée à partir de ses dessins sur l'actualité de Mai 68. Je ne comprends rien à ce jargon ridicule. Simplement l'homme m'a paru génial.

Il a dit que je lui plaisais. Ça signifie quoi, plaire à un homme ?

Quelque chose vient de se passer dans mon existence.

Informée de l'événement, Patricia m'a aussitôt envoyé une coupure des *Lettres françaises* dans laquelle Hubert Juin définissait l'humour de ce dessinateur auquel je plais : « décharné, désarmé, déplumé, dépiauté, délinquant et sinistrement drôle, bravo ! ». Le propos était agrémenté d'un commentaire acerbe : « Délinquant et sinistrement drôle... Pardonne-moi, mais toi qui te dis dénuée d'humour, as-tu au moins regardé ses dessins ? La femme est son sujet de prédilection. A classer dans la catégorie des anars-provocateurs. Mon conseil : pas de précipitation ! »

Ce courrier restera sans réponse.

Je ne sais qu'une chose : je plais à un homme célèbre et célébré qui dessine et écrit des pièces de théâtre. Un créateur. Un humoriste. L'humour, ça me terrorise. Et alors ? Anar-provocateur, dit Patricia. En fait, j'ignore ce que c'est un anar-provocateur. J'ignore d'ailleurs beaucoup de choses. Mais l'existence commence à m'intéresser.

Quand je l'ai aperçu, pour la première fois, je participais au comité de rédaction d'un journal qui venait de m'embaucher comme stagiaire. On a frappé à la porte, il est entré. Il portait un carton à dessin sous le bras et à chaque main tenait une petite fille coiffée d'un étrange calot. Après avoir montré son travail au rédacteur en chef – un dessin qui figurait à la une du journal –, il s'est tourné vers les autres qui l'ont apostrophé et des rires ont éclaté. Les fillettes ont fait le tour de la table, embrassant chacun d'entre nous. Puis, ils sont repartis. La réunion a repris. Ensuite, je n'y ai plus pensé.

Était-ce à cause de la présence de ses filles ? Les enfants ne m'ont jamais attirée. J'ai toujours eu l'impression de n'avoir pas été enfant moi-même et, pendant mes jeunes années, je n'avais guère eu d'amis. J'ai vécu enfermée, rêvassant et regardant les nuages divaguer dans le ciel à travers les vitres de ma chambre.

Il est réapparu. Ce jour-là, je consultais les archives du journal, habillée, je m'en souviens encore, d'une robe rose avec un col Claudine en piqué blanc, dont la longueur minimale, selon la mode Mary Quant, laissait deviner le haut des bas retenus par des jarretelles blanches. J'étais penchée sur une écritoire réservée à la consultation des exemplaires d'archives, il est passé devant moi, j'ai levé les yeux vers lui, vers son regard scrutateur où flottait une lueur. Ironie ? Intérêt ? Je l'ai fixé. Il m'a contournée pour rejoindre le bureau du directeur. Je me suis replongée dans mon travail. Un drôle de frémissement m'a soudain traversé le corps. Je n'avais pas le souvenir d'avoir jusqu'ici éprouvé une sensation aussi violente, un désir aussi total.

Deux jours plus tard, j'ai été convoquée par le rédacteur en chef, un malabar pas très malin, qui possédait deux atouts : être le neveu d'un écrivain renommé et ressembler à Clark Gable. Avec moi, il jouait les séducteurs irrésistibles. Quand j'entrai dans son bureau, je tremblais comme une feuille, redoutant qu'il me lance au visage l'article que je venais d'écrire. Vaines appréhensions. Dès que je me suis approchée, sa main a effleuré ma cuisse comme par inadvertance. Non, il n'avait pas l'intention de parler profession, ni de critiquer quoi que ce soit. Il avait d'autres projets en tête. Sans doute revenir sur ce dîner qu'il me proposait depuis une bonne quinzaine ? Exact. Il a remis ça, feuilletant son agenda pour fixer une date, de manière à ce que je ne puisse pas me défiler. J'avais accepté en croyant que je refusais. Nous avons bavardé pour la forme, il s'est enquis de tout et de rien. Au moment où je m'apprêtais à sortir, il m'a retenue par la main.

– Sais-tu que tu plais à notre dessinateur-vedette ? Tu lui plais même beaucoup. Mais, je tiens à te prévenir : tu me plais aussi à moi. Avant tout à moi... Tu as compris ?

Le soir venu, j'ai quitté le journal en trombe. Je me suis enfoncée dans le métro, empruntant la ligne dans le sens inverse à celui qui devait me conduite là où j'habitais, c'est-à-dire, chez mes parents.

Je n'avais rien d'une Lolita, ni l'âge – plus de vingt ans, trop tard pour en être une –, ni le sens de la provocation. Juste le désir de séduire. Pour me prouver que j'existais un peu. Une étincelle venait de rendre la vie amusante, au point d'en oublier ma seule obsession depuis toujours : la mort. Pourquoi la vie, puisque la mort ? De cette interrogation, je puisais le sentiment de la brièveté et de l'inutilité de la vie.

L'existence commence à vibrer. A créer de la confusion et de la distraction.

Un samedi, au cours du déjeuner quasi hebdomadaire avec l'ensemble de la rédaction, le dessinateur est présent. Il me suggère de m'asseoir près de lui. J'acquiesce. Sourire tendre et satisfait. Un confrère ironise sur sa condition de « veuf joyeux » – il a perdu sa femme dans un accident de voiture –, cite en rafale des noms dont on parle dans la presse. La liste soulève un tollé de rires : elle le rend encore plus séduisant à mes yeux. Dans le taxi qui nous ramène au journal, il m'embrasse. Ses lèvres ont un avant-goût du bonheur. Quand la voiture s'arrête, je descends. Lui reste. Je m'éloigne sans me retourner. Il m'appelle, mais je fais mine de ne pas entendre. Il appelle à nouveau.

– Je t'attends chez moi mercredi en quinze. Huit heures ? Ça te va ? On dînera.

De la main, je fais signe que « oui ». J'ai l'âme en délire. Dans les bureaux, le stress du bouclage est à son comble. Irrité par le manège du dessinateur pendant le repas, le rédacteur en chef m'évite. A l'heure prévue, je lui remets ma copie, il la prend, fait semblant de la lire, grimace un peu, beaucoup, la jette à terre. Il est furieux.

Le soir, je pars en week-end avec celui que j'appelle « mon fiancé ». En chemin, le pauvre garçon parle dans le vide. Je suis ailleurs. Je me remémore la scène dans le taxi. Je sens encore la langue de mon dessinateur-vedette dans ma bouche, et sa caresse sur ma joue. La voiture roule vers un relais-château. Les heures s'étirent. L'ennui me gagne. Je précipite le retour. Au matin, nous rentrons.

Dimanche, cinq heures de l'après-midi. Mon corps brûle. Je suis vautrée sur mon lit, le ventre durci par le désir. Je pense à lui. Que fait-il en cet instant ? Dessine-t-il ? Joue-t-il avec ses filles ? A moins qu'il ne soit sorti. Ou bien... Sans réfléchir, j'attrape le téléphone. Cet homme déchaîne en moi un aplomb, une témérité qui ne me sont pas familiers. L'initiative me sidère. Je compose le numéro. Il est là. Il travaille mais je ne le dérange pas. « Au contraire. » Il m'interroge sur ce que j'ai fait depuis que nous nous sommes vus.

– Je t'ai attendu.

C'est moi qui ai dit ça ? Silence que je n'écoute pas. Je continue :

– Je n'ai pas le temps de perdre du temps, je veux te voir maintenant. Mercredi en quinze, c'est trop loin !

Encore un silence. Il hésite ou peut-être réfléchit. Finalement propose le lendemain.

– Tu m'intrigues, ma petite jeune fille blonde.

Nous raccrochons.

Pour me donner le courage d'aller au bout de ma détermination, je joue le jeu, je me dis que je suis amoureuse. En fait, je n'aime pas, je désire. C'est mon corps qui est tombé amoureux, pas mon cœur. De toute façon, j'ai un cœur de pierre. Ma mère me l'a suffisamment répété : je suis incapable d'aimer.

Le désir amoureux comme l'amour, finalement, échappe à toute analyse, à toute définition. Ils vous tombent dessus. Il faut croire qu'ils se vivent, mais ne se décortiquent pas.

Tel a été le début de mon aventure avec le dessinateur engagé qui en Mai 68 croquait dans *L'Enragé*, seul organe de presse à paraître durant cette période de grèves forcenées, les étudiants révolutionnaires et leurs adversaires : les flics casqués et les politiciens. Ébauches vite noircies, griffonnées, avec des formules cinglantes.

Désormais, je traverse Paris, d'une extrémité à une autre, pour passer une partie de mes nuits avec lui, dans la chambre qui jouxte celle de ses filles. Parfois, je perçois des pleurs ou des rires qui m'émeuvent. Avant de me rendre chez lui, je passe des heures devant le miroir pour essayer de ressembler aux femmes qui le distraient depuis son veuvage et dont j'ai vu les photos dans le journal. Je charbonne mes yeux à coups de khôl et de rimmel, je blondis mes cheveux frisés que je m'efforce de raidir sous les brushings. Quand je suis prête, je m'assois derrière la table où j'écris mes articles et je m'échine à inventer quelques sujets de conversation qui me seront favorables. Je perds du temps à préparer des phrases que je n'exprimerai jamais. Lui a tout : le talent, l'humour, l'audace, la séduction, la culture, l'esprit de répartie. Moi, j'ai l'impression de ne posséder aucune qualité. Alors, je compense avec mon corps, jeune, lisse, rebondi qui, je sais, lui plaît. La première fois que nous avons fait l'amour s'est révélé un champ immense de découvertes. Comme je n'ai pas, ou si peu d'expérience, je l'ai classé champion hors pair dans sa catégorie.

Un soir, nous dînons chez Lipp en compagnie d'un éditeur qui vient de publier son premier livre, intitulé : *Carnet de croquis*. J'ai feuilleté l'album qui m'a paru aussi absurde que *La*

Cantatrice chauve, la pièce de Ionesco que j'avais vue au théâtre de La Huchette. Ce doit être ça l'humour : un art de l'absurde. Depuis qu'il m'a fait comprendre que je ne lui déplaisais pas, je me suis penchée à maintes reprises sur la définition de l'humour. Le dictionnaire ne m'a pas vraiment renseignée. Je possède un vieux Larousse qui date de ma scolarité. La définition qu'il donne du mot « humour » me laisse perplexe : « Gaieté qui se dissimule sous un air sérieux et qui est pleine d'ironie, d'imprévu. » L'ironie de mon humoriste se lit dans ses yeux. Tout son esprit se retrouve dans ce regard noir qui a une expression unique de malice.

Le fameux samedi où nous avions déjeuné côte à côte, je lui avais demandé de définir son métier. Il m'avait répondu qu'il tournait tout en dérision. Qu'est-ce que la dérision ? Du persiflage, de l'ironie et du mépris. Se moquer, c'est souvent mépriser. Parfois, je me demandais dans quel enfer je m'étais fourrée, moi qui ne connaissais ni la gymnastique de l'ironie, ni celle du persiflage. Bien sûr, il aurait été moins angoissant, et peut-être plus utile, de répondre favorablement aux grossières avances du rédacteur en chef de mon journal. Mais, celui-là, avec mes nouvelles pérégrinations sentimentales, je l'avais oublié.

L'objet du mépris de mon séducteur et de son éditeur n'était autre que la bourgeoisie. Le bourgeois ne pouvait être qu'un crétin vulgaire. A l'occasion, je découvrais une nouvelle définition de la vulgarité. Les trivialités ne se trouvaient pas là où j'avais appris qu'elles étaient. Une éducation différente de la pensée et de la société commençait. J'étais écrasée par l'ampleur de ce que j'avais à apprendre.

Lorsque nous sommes arrivés, l'éditeur était attablé près de la caisse où trône une dame en chignon. Grand, brun, pas une première jeunesse, me semble-t-il, il a une moustache rigolote et un regard malin. Nous dînerons à quatre, annonce-t-il, avec une certaine « Régine » « qui ne devrait plus tarder ». La conversation s'ouvre sur les activités de cette « Régine » qui publie des livres à caractère scandaleux. L'éditeur cite des titres dont je n'ai jamais entendu parler. J'en retiens un : *Le Con d'Irène* de Louis Aragon. Je connaissais *Les Yeux d'Elsa*, mais pas

Le Con d'Irène. Je suis envahie par la honte et ma bouche demeure si close que j'ai la sensation qu'elle le restera à jamais. J'observe les dîneurs autour de nous : tous paraissent très à l'aise. Pendant ce temps, les deux hommes boivent, discutent et le temps passe. Ils décident de commencer à dîner. Une heure plus tard, arrive la fameuse Régine. Une rousse superbe à la beauté fascinante. Elle porte une robe noire avec à la taille une large ceinture rouge, de la même couleur que ses lèvres accentuées par le fard. Elle raconte qu'elle vient de prendre un verre avec « son » banquier et tous trois plaisantent sur la stratégie utilisée par la belle pour le mettre dans sa poche. Ensuite, tandis que je dévore un mille-feuille trop crémeux, ils parlent d'érotisme et d'humour, deux domaines où je n'ai jamais fourré mon nez. Régine s'agite sur sa chaise en bavardant. Ses seins se balancent sous le tissu léger de la robe. J'ai gardé mon manteau, une redingote bleu roi avec un col en velours fermé ras du cou. Je suis cramoisie tellement j'ai chaud. Je remarque que la compagne de l'éditeur est chaussée d'échasses de cuir noir. J'avais vu ce genre de bottes dans un *Elle* et je n'avais pas aimé. Pourtant, sur cette fille, je trouve que c'est le comble de l'élégance. Elle parle d'un texte qu'elle écrit. Elle ne se contente pas d'éditer.

Régine devint un mythe.

Autre sortie chez des amis. C'est la première fois qu'il m'invite à l'accompagner dans un dîner « parisien ». Je suis toujours vêtue de ma redingote bleu roi – c'est le seul manteau que je possède dans ma garde-robe. Un taxi nous dépose rue de Varenne et nous marchons jusqu'au musée Rodin que je n'ai jamais visité. Je suis inculte en art. Seulement en art ?

– Ça fait un peu petite bourgeoise, ce manteau, tu ne trouves pas ? lance-t-il, sur le seuil de la porte.

Je baisse les yeux et je rougis.

« Petite bourgeoise. » Jusqu'à ce qu'il en parle, non, je ne trouvais pas. Quand je l'avais acheté – quelques mois auparavant –, il m'avait paru élégant et chaud. L'élégance n'est pas la mode. Il ne s'agit pas d'être élégant, il s'agit d'être à la mode. Subitement, je me sens ridicule dans ma redingote. Et ce col de velours qui fait pensionnaire. Comment ai-je pu ?

Je n'ose plus le regarder. Il porte un imperméable mastic et il a noué une cravate rose sur sa chemise blanche. La veste est en velours noir. L'ensemble est génial.

Je suis terrorisée à l'idée d'entrer, habillée en collégienne, chez les gens qui nous invitent – un éditeur et sa femme, une blonde aux cheveux qui rebiquent, aux yeux bleus comme des nuages, toute sautillante, la voix pointue. La veille, nous l'avions rencontrée par hasard, non loin du musée, elle avait embrassé tendrement l'homme qui m'accompagnait, sans vraiment prêter attention à moi.

– Un jour, je t'emmènerai faire du shopping, tu veux ? dit-il, tandis qu'il appuie sur le bouton de la sonnette.

Pourrait-il cesser de me désirer à cause d'une redingote de collégienne ? C'est trop bête !

La porte s'ouvre. Une jeune femme en blouse rayée s'empare de mon vêtement, que j'ai retiré avec précipitation, et de son imperméable. Quand nous pénétrons dans le salon dont les fenêtres donnent sur le musée, vingt paires d'yeux se posent sur nous. Sur moi. Je ne sais pas où regarder. Je les ai tous, plus ou moins, femmes et hommes, aperçus dans les pages des magazines. Donc, tous célèbres. Et plus âgés que mes vingt-deux printemps. Plus beaux, plus élégants et sans aucun doute beaucoup plus cultivés. J'ai la sensation que mes joues pâlissent. Je m'efforce de maîtriser ma peur et parviens enfin à immobiliser mon regard sur la coupe de champagne que l'une des invités porte à ses lèvres. Je suis son geste et mes yeux finissent par croiser les siens, très noirs, rieurs et durs à la fois. Un regard que je redoutais, celui d'une journaliste dont j'admire le talent depuis que j'ai commencé ma jeune carrière. Elle est la première femme à diriger un journal et, en plus, elle a vraiment beaucoup de charme. Je suis morte de trac.

L'apéritif dure un temps infini. Je ne parviens pas à placer une onomatopée. Je n'ose pas non plus plonger la main dans les soucoupes qui offrent un assortiment de petits amuse-gueule sympathiques. Je n'y toucherai pas. De peur de... Qu'y a-t-il à craindre, sinon de ne pas plaire ? Le problème est bien là. Pour le séduire, je dois d'abord séduire ses amis.

Nous passons à table. Je suis assise entre le directeur d'un journal et le directeur littéraire d'une maison d'édition – qui est aussi un écrivain réputé. L'homme a de la prestance. Grand, distingué, le corps mince dans un costume prince-de-galles. Des yeux bleus poétiques, une chevelure magnifique. L'un de ses derniers romans a été primé à l'automne et doit être porté à l'écran. Vais-je oser lui en parler ? Juste en face de nous, a pris place une femme écrivain, une brune qui ne pique pas qu'avec ses bons mots, plus féroces les uns que les autres. J'ai lu avec passion son dernier roman, pourtant je crains de lever les yeux vers elle. En revanche, elle, ne cesse de me regarder. Le potage n'est pas plus tôt servi qu'elle lance à la cantonade :

– Elle a de beaux yeux, vous ne trouvez pas ?

– Mais certainement ! répond mon voisin. Et elle n'a pas que ça !

– Absolument ! dit le maître de maison.

J'entends au loin quelqu'un murmurer : « Elle est délicieuse. »

Comment la femme écrivain a-t-elle fait pour voir mes yeux plongés dans l'assiette de potage où j'espère me noyer très vite ?

Aucun son ne sort de ma bouche. Mes lèvres ne sont qu'un sourire muet. La conversation repart sur la vie parisienne, les voix s'entremêlent, j'en profite pour me faire oublier. Les plats défilent et le brouhaha augmente.

Le dîner durera mille ans et je compterai au moins un exploit dans mon existence : celui de ne pas avoir sorti le moindre mot. Aux questions que l'on m'a posées, je n'ai répondu que par des hochements de tête. Sans doute, mes voisins s'en sont-ils amusés.

Lui, je ne sais pas. Je l'ai entendu participer à la conversation, mais il n'a pas été non plus très bavard. A la fin du dîner, il est venu vers moi et m'a prise par le cou. Ce geste tendre m'a redonné de l'espoir et un peu de confiance en moi.

Quand nous quittons ses amis, je parviens à remercier chaleureusement notre hôte. Tiens, je suis encore capable de former des mots et de les prononcer. Je ris intérieurement de ce talent retrouvé.

– J'espère que l'on vous reverra bientôt, dit l'hôtesse de sa voix suraiguë.

Ce n'est pas moi qu'elle regarde, mais lui.

Dehors, on est enfin tous les deux. Il m'embrasse plus tendrement qu'à l'ordinaire.

– Je veux que tu viennes à la première de ma pièce, dit-il.

Je bégaie une réponse inaudible.

– J'y tiens absolument, tu sais, insiste-t-il. Ça me fera plaisir. Maintenant, je veux que mes amis te connaissent.

Je réponds « oui », je pense : « surtout pas ».

Le soir de la première de *Je ne veux pas mourir idiot* arrive. Le rendez-vous a été fixé au théâtre. Cette fois, je n'ai pas mis ma redingote et je grelotte dans une robe noire, noire comme celle de Régine, plus sexy, plus transparente que la sienne, taillée dans une sorte de soie parsemée de pastilles brillantes. Je l'ai moi-même dessinée en m'inspirant d'un modèle de Mary Quant, très court et légèrement en forme, et l'ai fait confectionner, en cachette, par la couturière de ma mère. A chaque essai, je pensais à lui. Dans cette robe au moins, je ne ressemble ni à une petite collégienne, ni à une bourgeoise. L'accessoire idéal pour le séduire. Puisque je ne pense qu'à ça : le séduire.

J'ai passé sur mes épaules un large foulard de laine emprunté à la garde-robe maternelle et chaussé des escarpins noirs payés avec mes économies. C'est la première fois que je m'habille pour plaire à un homme. J'en suis fière mais j'ai l'impression d'être déguisée. D'être une autre. Je sais que je n'ai pas intérêt à trop réfléchir. Je charbonne mes yeux pour les rendre encore plus noirs et je mets une touche de poudre.

L'assistante du metteur en scène m'attend au contrôle. Je me faufile dans la foule et me présente. Survient le metteur en scène en personne, un petit brun râblé, aux yeux égrillards. Nous parcourons un long couloir étroit qui nous mène aux coulisses et aux loges.

Il est là. Je ne vois que sa cravate rose. Lui ne voit que ma robe transparente. Ses yeux s'arrondissent de surprise.

– Comment ta mère a-t-elle pu te laisser partir dans cette tenue !

Je me contemple dans son regard, ravie de l'avoir surpris, et je ris.

– Ça te va bien de rire.

Il m'empoigne, me soulève dans ses bras et m'embrasse. Alertés par ma venue, les acteurs sont sortis de leurs loges. Il me présente.

La soirée me parut éblouissante. Tout était nouveau, exceptionnel. Dans une salle pleine à craquer de célébrités, on m'installa au premier rang, parmi les privilégiés et les officiels, considérée déjà comme la « fiancée » de l'auteur – en entrant, j'avais attiré regards de curiosité et chuchotements, dont ceux de journalistes que je n'avais jamais rencontrés parce que, bien sûr, nous ne couvrions pas les mêmes événements. La débutante que j'étais s'occupait des foires et des salons. Il y avait aussi des sympathisants enthousiastes qui reprenaient en chœur les refrains chantés par « Évariste », un jeune et génial mathématicien – d'où son nom d'emprunt. Révolutionnaire de la première heure dès le mois de mars 68, il s'était improvisé chanteur et figure symbolique du printemps agité, dont le spectacle chroniquait les grands moments. Une ambiance militante chauffait la salle où les rires explosaient, puis se diluaient dans un silence curieux et attentif. Je riais avec mes voisins, même si bien souvent je me sentais complètement hors circuit, et ne saisissais pas toutes les subtilités et les allusions politiques d'un texte que le metteur en scène avait adapté à partir des caricatures et de dialogues publiés dans la presse. L'ensemble composait une satire réjouissante de la société de consommation.

Il était un héros. Mon admiration ne connaissait pas de bornes. Rien d'autre n'existait que ce présent fabuleux.

La chute du rideau rouge déclencha d'interminables applaudissements. Quelqu'un cria son nom, la salle le reprit, martelant chaque syllabe. Il émergea des coulisses et entra sur la scène. Il m'apparut plus grand, plus séduisant qu'il n'était deux heures auparavant quand il m'avait accueillie à la porte des loges. Je me concentrai sur ses yeux noirs posés sur moi. Je lui adressai un sourire légèrement pincé, dû aux sentiments mêlés que j'éprouvais à ce moment même. Il y avait de la peur, de la honte, de la joie et du plaisir. Un joli cocktail.

– Alors, mon spectacle t'a plu ?

– J'ai ri, ai-je répondu.

Je n'ai pas osé m'étendre sur le sujet. J'ai préféré l'embrasser.

Il était rayonnant. Nous dînions en compagnie des acteurs dans un restaurant voisin du théâtre. Émanait de lui un je-ne-sais-quoi qui magnétisait, j'avais l'impression de vivre un rêve. Était-ce celui que je m'inventais, quand, bouclée dans ma chambre d'adolescente, je consacrais mon temps à écrire des petits textes que je mettais en scène et jouais, m'attribuant plusieurs rôles, au lieu de déchiffrer les versions latines que j'avais à rendre pour le lendemain ?

Je me suis enfouie dans ses bras et, si je n'avais pas craint le ridicule, j'aurais volontiers versé quelques larmes sur son épaule.

Notre liaison s'est peu à peu instituée comme une évidence. J'étais dans sa vie, il était dans la mienne. Il me présentait à ses amis, aux gens avec lesquels il travaillait : ceux de l'hebdomadaire satirique auquel il collaborait, une troupe de joyeux autodidactes dont l'humour ravageur me terrorisait. Parmi eux, il y en avait un que j'avais immédiatement remarqué parce qu'il était plus jeune, plus blond, plus charmant, plus drôle que les autres. Il y avait aussi des hommes de publicité ou de marketing, vêtus à la dernière mode, la Church luisante aux pieds, et le Burberry sur les épaules. Tous faisaient dans l'humour. Auprès de lui, je pénétrais un monde où le rire tenait une place quasi primordiale.

Le rire, voilà une découverte. Rire de tout. Rire de rien. Mais rire. Dans ma famille, on ne riait pas. Je n'ai pas le souvenir d'un seul éclat de rire de mon père ou de ma mère. Le rire est le signe de la joie. Souvent, j'avais imaginé que mes parents, tous deux orphelins de pères, tués pendant la Première Guerre mondiale, s'étaient imprégnés de ce malheur qui leur avait été rabâché au long de leur enfance par des mères sans repères et sans amour. Sans parler de la nouvelle guerre qui les avait surpris, à peine âgés d'une vingtaine d'années. Ils avaient été éduqués dans un moule identique, ce qui expliquait qu'ils n'aient jamais pu trouver en eux les moyens du bonheur. Je n'étais sans doute pas loin de la vérité et j'assumais.

Le passé de mon amoureux n'était guère mieux : un père assassiné quand il avait deux ans, sa mère malade qui l'abandonne à sa famille tunisienne pour se faire soigner en France, des études vacillantes, un mariage prématuré, deux enfants nées dans l'urgence, et une femme morte au cours d'un accident de voiture.

– Je ne serais jamais devenu ce que je suis avec une vie lisse. Au long de mon parcours, la dérision m'a sauvé.

C'était son explication.

– Peut-on faire de l'humour avec l'amour ? lui demandai-je.

La question le fit sourire.

– Tu me plais, ma petite jeune fille blonde.

Je commençais à comprendre que le meilleur de son talent venait d'une force insoupçonnée qui lui permettait de dominer l'événement. Dominer les fluctuations de la vie. L'amour serait-il un vecteur de transmission de l'humour ?

Un jour de novembre 68, le rêve et la réalité se sont accommodés. Mon existence changea de tonalité, la vie était devenue jubilatoire.

J'étais maintenant la « petite amie » attitrée d'un homme connu et brillant. J'assistais à des premières de théâtre, je participais à des réunions politiques tendance gauchiste, je déjeunais de temps en temps avec ses petites filles auxquelles j'avais été présentée.

Au journal qui m'employait, je m'étais affirmée, le rédacteur en chef s'était fait une raison et les sujets de société dont j'avais la charge me passionnaient.

Dans notre vie amoureuse, c'est-à-dire sexuelle, je me soumettais aux pratiques qu'il m'avait apprises. Autrement dit, je ne me posais jamais la question : qu'est-ce qui me plaît à moi ? Mais plutôt : qu'est-ce qui pourrait lui plaire à lui ?

A bien y réfléchir, ma nouvelle relation me condamnait à n'être plus moi-même. Elle me contraignait à penser, agir, regarder avec la pensée ou les yeux de l'autre. Avant de le rejoindre, je continuais mes longues pauses devant le miroir, sans m'interroger pour savoir si le reflet que je voyais correspondait à ce que je souhaitais, mais en me demandant sans cesse si j'allais lui plaire. Je n'avais qu'une obsession : ajuster mon comportement à ce qu'il attendait de moi.

Qu'attendait-il de moï ? D'être « sa petite jeune fille blonde ». Un être finalement assez effacé. Comme les poupées récemment mises sur le marché français du jouet, je disais « oui », quand on me touchait. Il m'emmenait où il voulait, ne me demandait pas si cela me convenait, me faisait faire ce qu'il désirait. Je lui appartenais âme et corps. Par ailleurs, j'apprenais beaucoup de la vie. Peut-être avais-je l'illusion que, par mon attitude passive, j'étais sur le point de me forger un tempérament dont je récolterais les fruits plus tard. Je n'étais pas pressée. J'avais toujours vingt-deux ans. Et pas mal de méfiance envers moi-même, cette irritable méfiance que l'on apprend à force d'éducation judéo-chrétienne sévère. J'expliquais les silences, dans lesquels je nous plongeais souvent et la gaucherie dont je faisais preuve en sa présence, par un manque total de charme et de talent, dont je souffrais en face de cet homme si attirant. Je ne savais lui poser que des questions « bateau », comme j'en posais dans mes interviews de débutante. J'en étais consciente et j'en éprouvais de la honte. Voilà pourquoi je préférais me taire.

– Pourquoi ne parles-tu pas ? me demanda-t-il un jour, alors que nous nous promenions. Tu sais, Agathe, elle – il s'agissait de sa précédente maîtresse –, parlait tout le temps et elle était passionnante, drôle... Elle a même publié un roman.

Je lui en voulus parce qu'une telle remarque ne pouvait que décupler mon mutisme. D'autres auraient été stimulées par sa remarque, lui auraient envoyé une réplique cinglante. J'avais appris à ne jamais répliquer, je ne possédais donc pas les clés qui permettaient de briller dans ce domaine.

Je demeurais longtemps silencieuse. Je ne parvenais pas à parler de moi ou bien, quand je me lançais, je retombais dans l'autodénigrement. Le « je » s'esquivait sous ma langue, je ne lui apprenais rien de ma personnalité, qui se dissimulait là où elle pouvait. Voulait-il vraiment savoir ? Et quel genre de sentiments éprouvait-il pour moi ?

Il s'était approprié mon corps. Au début, je ne m'en plaignais pas puisque notre relation – je le croyais sincèrement – était fondée sur le désir que nous avions l'un de l'autre. Je ne me souviens pas d'avoir pensé que j'aimais cet homme d'amour. Je ne me souviens pas d'avoir imaginé que je lui portais de tels sentiments au point d'envisager ma vie avec lui. N'importe comment, « la vie » ne représentait rien. J'apprenais à quitter le passé – dans lequel je m'étais enfermée comme dans une prison –, et à vivre dans un présent qui me convenait parce qu'il m'amusait. L'existence était devenue légère. Je lui en savais gré.

Au printemps 69, un événement auquel je ne m'attendais pas provoqua en moi une telle agitation que je m'efforçai enfin de réfléchir à ma situation amoureuse. J'eus l'impression que je commençais à mûrir. Il était temps.

Un soir, je le rejoignis dans l'appartement qu'il partageait avec ses enfants et une fille d'une trentaine d'années, chargée de gérer le quotidien. Au programme : « dîner entre amis ». La formule était habituelle et je n'y prêtai aucune attention. J'allais être avec lui, rien d'autre n'avait d'importance.

En fait d'amis, il n'y en avait qu'un. Je l'avais croisé à plusieurs reprises dans les locaux de leur journal, il me plaisait et je savais que si j'avais eu une aventure avec lui, j'aurais succombé à ses charmes multiples et serais tombée amoureuse pour de bon. Ils étaient là depuis un moment et avaient visiblement déjà partagé quelques whiskies.

Désormais, j'avais pris mes marques dans l'appartement et je fis le service. Incessants allers-retours entre cuisine et salle à manger. Ils parlaient, j'écoutais. A plusieurs reprises, tandis que je m'agitais autour de la table, la main de l'ami, plus éclatant, plus séduisant que jamais, s'oublia sur mes jambes nues. Je laissai faire. La caresse était discrète, je la pensais amicale. Je ne voulais pas non plus paraître une oie blanche. L'époque était à la liberté, j'en assumais les règles.

A la fin du repas, nous avons gagné la chambre. « Nous y serons plus à l'aise pour prendre le café », a dit mon héros, dont l'esprit était embué par l'alcool. Il disparut dans la cuisine. J'étais assise sur le lit, j'ai tourné le visage vers l'ami et, comme par inadvertance, nos bouches se sont collées l'une à l'autre. Il m'embrassa comme personne jamais ne m'avait embrassée. Un baiser long et doux. Nos lèvres entraînèrent nos corps qui ne se quittèrent que pour mieux se rejoindre dans une fusion totale. J'oubliai les lieux, le temps et l'homme qui, un plateau à la main, contemplait nos ébats. Je ne contrôlais plus rien : naissance d'un désir absolu, impérieux. Je faisais l'apprentissage d'un alphabet nouveau dont mon corps détenait le secret. Ce n'était plus ma tête ni mes sentiments qui décidaient pour moi, mais une profondeur de mon être que je n'avais jamais soupçonnée.

Dans la nuit, l'ami quitta la chambre. Avant de fermer la porte, il me regarda avec insistance. Je m'endormis non sans m'être interrogée sur mon comportement. Une question pointa dans l'immense chahut intérieur qui s'était fait en moi : la femme qui se livrait ainsi, qui s'abandonnait, était-ce vraiment moi ? Était-ce mon plaisir qui s'exprimait ? Ne m'étais-je pas plutôt enferrée dans la logique qui prévalait depuis quelques mois : lui plaire à tout prix ?

Le lendemain, je partis en reportage. La soirée sembla s'effacer de nos mémoires.

Quelque temps plus tard, il me donna rendez-vous chez l'un de ses amis qui habitait rue du Temple, un écrivain aristocrate et alcoolique, auquel il m'avait présentée lors d'une précédente soirée. Je n'avais trouvé aucun attrait à l'homme, la perspective d'un dîner en sa compagnie m'ennuyait par avance. Quand il m'avait parlé de l'invitation, mon peu d'empressement ne l'avait pas rebuté. J'avais cédé. Les mondanités faisaient partie du jeu. Durant le trajet qui me conduisait rue du Temple, une vague angoisse m'avait pincé l'âme : serait-ce une simple mondanité ?

Il arriva. Il portait la cravate rose que je lui avais aperçue plusieurs fois et qui finira sa carrière dans ma garde-robe. Auprès de lui, je me sentis forte. Nous ne nous étions pas vus depuis une bonne semaine, et j'éprouvai un réel bonheur à me frotter contre lui, comme une jeune chatte. Il m'enlaça tendrement. J'ai violemment désiré qu'il se ravise et que nous partions dîner tous les deux, que nous achevions la nuit n'importe où, juste lui et moi. Il n'a pas compris. Nous nous sommes engouffrés dans un large et bel escalier, comme on en voit encore dans le Marais : il menait à l'appartement de l'écrivain.

J'avais des chimères de petite amoureuse. Lui avait des aspirations qui m'échappaient. Dans ses yeux, je ne voyais pas de pensées qui auraient pu être le reflet des miennes.

Nuit de désillusions. Mon corps est livré aux désirs des deux hommes. Il s'ouvre et se ferme au gré de leurs initiatives. Je suis un pur objet. Peut-on parler de plaisir dans une pareille situation ? Du leur. Mais du mien ? Mes gestes mécaniques ne les dérangent pas. J'exècre autant l'hôte que l'initiateur.

J'apprends à haïr avant d'avoir aimé.

J'avais cru à la fusion de nos corps, à la vérité de nos désirs. Il ne reste qu'un vide nauséeux.

Devine-t-il mes pensées ? Son regard change. Il presse ma main dans la mienne.

L'autre est aveugle et sourd. Inaccessible à la relation que nous avons tissée entre nous deux, il se mêle de me questionner à travers lui.

– Quels sont les fantasmes de cette enfant ? demande-t-il.

Je retrouve la parole. Je la sens qui s'enfle dans ma gorge, qui prépare les sons, le ton, les mots.

– Mes fantasmes m'appartiennent, je les garde pour moi.

– Petite fille, ne sais-tu pas que l'amour se partage, et les fantasmes aussi ? reprend-il.

– Je n'ai aucune envie de coïncider avec les fantasmes de quiconque. Les vôtres ne m'intéressent pas.

J'ai jeté un froid. L'écrivain s'éloigne vers la salle de bains dont la porte était restée ouverte. Lui demeure silencieux. Pour la première fois, il me découvre rebelle : je le suis. Je veux qu'auprès de lui, la vie continue d'être jubilatoire. Qu'elle n'oscille plus, comme avant – avant lui – entre la souffrance et l'ennui. Qu'il me démontre que le bonheur n'est pas perdu. Que mon désir vaut le sien.

Ce soir, mon désir revendiquait un ailleurs qui n'était pas ici. Il avait espéré l'amour, pas l'humiliation. Je sortais rompue de l'expérience, révulsée par le scénario imaginé sans moi. Paradoxalement, comme je me rhabillais, je sentis bouillonner en moi une énergie extraordinaire.

Nous laissâmes le domicile de l'écrivain aux premières lueurs du jour. Il m'enferma dans ses bras pour réchauffer mes frissons.

– Comment te dire... peut-être que c'est l'époque qui veut ça. Je ne sais même pas si je l'ai voulu, moi. C'est la dernière fois. Personne n'aura plus le droit de te toucher. Tu es à moi, ma petite merveille rose et blonde. Ce soir, j'ai compris une chose : je suis tombé amoureux !

Désormais, il le savait : je n'étais pas un terrain propice à ce genre d'épanchements. Que faire maintenant ? Continuer comme si rien n'avait eu lieu ? Ou écouter la voix qui me conseillait de prendre mes jambes à mon cou et de filer à l'autre bout du monde ? Finalement, je ne fis ni l'un ni l'autre. Je n'ai pas oublié et je ne l'ai pas quitté. Pour quelle raison ? La curiosité d'assister à la suite des événements ? Ou étaient-ce les débuts d'un attachement pas encore identifié que je ne voulais admettre ?

Plusieurs jours après, je le revis, j'étais à nouveau éperdue de bonheur.

J'ai persévéré dans sa vie au rythme de nos désirs. Le désir est un élan irrépressible, immédiat, fugace, l'amour, une architecture. Il aura fallu trente années pour bâtir le nôtre, malgré quelques « ennemis » croisés en chemin, des obstacles qui auraient pu le détruire, mais ne sont parvenus qu'à le renforcer.

Trente années, c'est un jour !

Comment savoir si l'on est amoureux pour de vrai ? Il est plus facile de l'affirmer quand c'est pour de faux, me semble-t-il. Avait-il décidé de m'aimer ou bien le sentiment d'amour s'est-il révélé en présence d'un autre homme, en l'occurrence l'écrivain ? La féroce jalousie – ainsi l'analyse-t-il aujourd'hui – qui l'a subitement happé au moment où l'écrivain caressait mon corps a été, pour lui, la preuve de son amour. La question se pose : la jalousie est-elle une preuve d'amour ? N'est-elle pas une simple déviance des sentiments ?

Aimer n'est pas un choix. C'est, à un moment propice, se trouver dans une parfaite disponibilité.

En juillet 70, il fut invité au festival d'affiches graphiques de La Havane. Premier grand voyage pour lui, même s'il ne durait qu'une quinzaine de jours. Première séparation pour nous. A l'occasion, il me présenta sa mère, une petite femme toute grise, avec des yeux aussi ronds et aussi pétillants que les siens.

– J'aime cette femme, lui dit-il en me désignant.

Elle leva son regard vers moi, perdue derrière ma frange blonde. J'aurais aimé lui sauter au cou, l'embrasser, la remercier d'avoir mis au monde l'homme qui bouleversait ma vie : je demeurai coite, les lèvres entrouvertes sur l'éternel sourire servant à masquer mes gênes. Je n'avais pas assez d'expérience pour comprendre qu'une effusion quelconque aurait été vaine. Aux yeux de cette mère admirative, aucune femme n'était digne de partager l'existence de ce fils « si talentueux » et tant vénéré.

Avant de partir pour Cuba, il m'offrit deux cadeaux : un sac de chez Hermès, et...

– A mon retour, je veux que tu partages ma vie. Que tu viennes habiter chez moi. Tu peux même t'y installer tout de suite : mes filles sont parties en vacances. Tu y seras seule. Ça te plaît ?

Il me tendit la clé. Il y avait de l'amour dans sa proposition. Il y avait de l'amour dans les sanglots qui me nouaient la gorge quand l'avion décolla.

Souvenir.

Dernier échange avant la séparation. Sa main essuie les larmes qui embuent mes yeux.

– Si tu pleures, c'est que tu m'aimes. Je préfère quand l'amour te fait rire, tu es encore plus jolie quand tu ris.

J'ai rassemblé mes forces.

– Mon rire c'est toi.

– Alors te voilà éduquée : le rire est la première des politesses !

Je n'ai touché mot à personne de sa proposition. C'est mon secret, elle n'appartient qu'à moi, rien qu'à moi. Qu'il y ait ses deux filles dans sa vie, je n'y ai pas songé. Je ne voulais pas réfléchir. Seule importait sa demande. Les matins, les jours, les nuits : être dans son voisinage, travailler auprès de lui, pouvoir le regarder dessiner, l'écouter. Je planais. Je n'avais ni passé ni avenir. Rien qu'un infini présent fait de rires, de passions, de désirs, de rêves. Des petits bouts de vie et de bonheur qui s'additionnaient les uns aux autres.

Quelques jours plus tard, j'investissais l'appartement de mon nouveau fiancé. Enfin, c'était plus qu'un fiancé. C'était mon séducteur, mon amoureux célèbre.

Dans l'aventure, j'avais délaissé mes amies. Rendue à moi-même et à la solitude de l'absence, je les retrouvais. Patricia, jeune étudiante en médecine, mariée depuis un an, m'annonça au cours d'un déjeuner qu'elle envisageait de divorcer. Si ce n'était pas cette année, ce serait l'année suivante. Je me souvins que, la veille de son mariage, elle m'avait appelée en pleurs : son histoire d'amour ne pouvait que capoter, m'expliquait-elle entre deux sanglots. Je lui en avais demandé les raisons. Elle s'était alors lancée dans des justifications fumeuses où il était question de mener à terme toute histoire d'amour commencée. Douze mois plus tard, elle ne pensait qu'à fuir.

Je m'efforçai de tempérer sa décision, puisqu'elle souhaitait avoir un enfant. Un souhait qui remontait aux premiers mois de sa liaison.

– J'étais enceinte, quelque temps après notre mariage..., répondit-elle. J'ai avorté. Il n'en voulait pas.

– Mais pourquoi ? C'est aberrant, dis-je. Et en plus, c'était à toi de décider et non à lui.

– C'est ce qu'on prétend aujourd'hui. Erreur : dans les faits, nous restons soumises. Je n'ai pas osé aller contre son désir.

Elle soupire et reprend :

– En plus, il est d'une jalousie que tu ne peux imaginer. Une vraie folie. Quand il sort, il m'enferme à clé dans une pièce ! L'horrible dans cette affaire, c'est que je sais que j'irai au bout de l'histoire. Je me sens incapable de couper court. Alors, ça me mine.

Bien sûr, la période n'était pas simple. Les couples s'étripaient sur fond de guerre des sexes. D'un côté les femmes radicalisaient l'affirmation d'elles-mêmes, de l'autre les hommes tentaient de ne pas perdre pied. Durs moments. On se quittait, on revenait pour mieux s'aimer ou mieux se détester. Le mari de Patricia multipliait les déclarations d'amour dès qu'il pressentait son départ. A chaque fois, Patricia, la rebelle, qui me donnait des leçons de féminisme, se ravisait.

« Le cœur a ses raisons que l'intelligence n'ouvre pas », écrit Marcel Jouhandeau dans son journal ! Judicieuse remarque.

Puis la rencontre avec Catherine, une autre amie proche, m'a sonnée. Elle venait de se marier civilement mais, sur l'injonction de sa mère, continuait à vivre, à Bordeaux, sous le toit familial, en attendant le mariage religieux. Pas de chance ! Elle n'était passée à l'acte que pour échapper à la mainmise maternelle. Mettre aussi un terme à ses frustrations sentimentales et sexuelles ! Hélas, sa nuit de noces avait été catastrophique.

Le mari, lui, avait rejoint son régiment quarante-huit heures après le passage en mairie. Dans le civil, il préparait l'ENA. Une école prestigieuse et la perspective de s'installer à Paris avaient suffi pour séduire Catherine. La capitale représentait un rêve jamais assouvi. La politique aussi. A quinze ans déjà, le gaullisme la passionnait, à dix-sept, après le bac, il lui fut interdit de poursuivre des études de sciences politiques, réservées aux hommes, selon sa mère, et donc impossibles pour une fille en âge de se marier : elle ferait peur. Le dix-neuvième siècle à Bordeaux, tandis que 68 couvait dans les chaudrons parisiens !

Après avoir passé une licence d'allemand, Catherine parvint à s'inscrire à l'Institut des sciences politiques, malgré le diktat de sa famille. C'est là, sur les bancs de l'amphi, qu'elle rencontra son futur énarque et décréta qu'il serait l'homme de sa vie. Une seule nuit ensemble aura donc suffi à lui dessiller les yeux. Parviendrait-elle un jour à effacer les dix-neuf années de soumission familiale ? Un moule qui a fait d'elle une femme assujettie à un mari promu à un bel avenir politique.

– Dire « je t'aime », c'est tellement facile ! soupira Catherine. Le vivre est plus complexe. Cette complexité-là, nous ne sommes pas prêtes les unes et les autres à la résoudre. Moi, la première.

Et moi ? Y parviendrais-je ? Les propos de mes amies ne m'encourageaient pas dans la voie de la vie à deux. D'autant que, dans mon cas, il s'agissait plutôt d'une vie à quatre. Autour de moi, personne n'avait expérimenté le modèle du « veuf avec enfants ». Nul n'était capable de me donner ne serait-ce que quelques ficelles pour démarrer sans tâtonner.

Il y eut plusieurs entretiens téléphoniques, Catherine et Patricia, Patricia et moi, bavardages au contenu haché, bourrés de non-dits, et qui ressemblaient, pour chacune, à des appels au secours. Nous décidâmes de dîner toutes les trois. Objectif : faire le point sur nos vies. Nous semblions être en pleine révolution intérieure. Patricia n'ayant pas visité l'appartement de mon fiancé dans lequel je venais de poser mes affaires, il fut décidé que nous nous y retrouverions. D'emblée, la conversation se concentra sur les photos que mon amoureux exposait sur la cheminée de sa chambre, celle que j'allais partager avec lui. Elles représentaient sa femme, décédée deux années auparavant, seule ou en compagnie des enfants, voire de lui-même. Patricia me fit comprendre que ces photos devaient disparaître de notre environnement désormais commun. « S'installer dans un tel décor, c'est accepter de vivre dans le culte de l'autre. » Étais-je amoureuse au point de l'accepter ? Comment répondre sans se tromper, sans se trahir ou trahir l'autre ? Voire les trahir, elles ? A force, cette réflexion finissait par m'ennuyer.

– Je me laisse porter par l'Histoire, dis-je.

– Aimer, c'est prendre un risque énorme, celui de ne pas être aimée, ou de ne plus l'être, voire de ne pas aimer, fit remarquer Patricia. Si mon jules m'enferme à clé quand il quitte la maison, de peur que je le trompe, c'est qu'il m'aime ou bien qu'il ne m'aime pas, puisqu'il ne me fait pas confiance.

J'avais le sentiment que dans ce jeune couple

que formaient Patricia et son mari, il n'y avait ni espace de liberté ni tolérance. J'en conclus, sans l'avouer, qu'il n'y avait pas d'amour. Je devais donc savoir introduire la tolérance dans l'union que j'allais former. Mais tout cela c'étaient des mots, pas du vécu. Le vécu nous perdait, nous détournait de nos élans.

L'attitude soumise de Catherine me faisait craindre le pire pour mon avenir. Je lui trouvais un caractère plus trempé que le mien, une réflexion plus mûre, malgré cela son comportement envers l'homme qu'elle avait épousé détonnait. Serais-je capable, moi, de refuser la soumission... au prix de la solitude et de l'ennui qui s'additionne à de l'ennui ? Ou bien y avait-il une autre solution ? En fait, nous étions bien loin de la passion amoureuse à laquelle nous avions beaucoup rêvé. Et nous étions bouleversées parce que, si les pavés pleuvaient dans les rues, les slogans peints sur les murs incitaient à la liberté, on nous affirmait qu'il était interdit d'interdire... A qui s'adressaient ces slogans pleins d'espoir, quand, dans les cuisines, les jeunes femmes fraîchement mariées versaient des larmes d'amertume dans lesquelles s'évanouissaient leurs illusions ?

J'entrais concrètement dans la vie d'un homme – avec l'idée qu'il était indispensable d'avoir auprès de soi quelqu'un qui donne un sens à sa vie, voilà l'espoir que je portais en lui –, au moment où mes amies, retombant de leur septième ciel jamais vraiment connu, désiraient quitter le leur. Sans le faire, parce qu'elles ne trouvaient pas, en elles, la force de bafouer les principes ancestraux dans lesquels notre génération avait encore été éduquée.

Professionnellement, j'avais achevé l'étape du stage et obtenu ma carte de journaliste. Désormais, je couvrais les problèmes de société et particulièrement les manifestations organisées par les groupes féministes. Je fréquentais le Parlement pour suivre l'élaboration de la loi sur la contraception, véritable combat mené par le député de la Loire, Lucien Neuwirth. Je m'étais liée d'amitié avec lui. Nous déjeunions « Chez Françoise », le restaurant des députés où nous faisions des échanges équitables : quelques sourires tendres et innocents contre une information exclusive que je publiais dans le journal du week-end.

Quand la loi fut votée, j'étais à ses côtés, dans l'un des salons de l'Assemblée, pour fêter cette victoire si durement arrachée aux parlementaires de tout bord. Comme je laissais exploser mon enthousiasme et que je le félicitais, Lucien fit tomber quelques illusions : la bagarre ne faisait que commencer, on crierait victoire le jour où les décrets seraient publiés et donc la loi appliquée.

La réussite passait-elle par la séduction ? Sans aucun doute, puisque la séduction s'exerce partout. Séduire, justement, restait un jeu auquel je m'adonnais toujours avec autant de plaisir. Je l'ai dit : j'avais commencé jeune, m'appliquant à ressembler à ma séductrice de mère, et je possédais certaines recettes. Souvent, je n'imaginais pas de finalité précise. Je tirais simplement une vraie jouissance à observer la réaction de celui que j'avais choisi comme cible. Maintenant, si le poisson mordait à l'hameçon, je me retrouvais dans une situation gênante et je m'en voulais de ne pas avoir su maîtriser ce comportement, avouons-le, puéril. Catherine, mon amie bordelaise, se vantait de jouer de sa séduction physique, bien qu'elle souhaitât n'être reconnue que pour son intelligence ! Chaque sexe possède ses complexités, d'où la difficulté de s'unir dans la simplicité.

Une question m'angoissait : comment moi, stagiaire journaliste en manteau de jeune bourgeoise, avais-je pris à mon hameçon ce dessinateur qui avait conquis bon nombre des plus belles Parisiennes de l'époque ? Comment pouvait-il me consacrer autant de temps de son existence ? J'avais une explication : notre rencontre avait été placée, pour lui comme pour moi, sous le signe du désir. Nous avions tous deux envie de nous envoyer en l'air. Il n'y en avait pas un qui recherchait une grande bluette et l'autre une histoire où prendre du plaisir. Dès le départ, nous étions à égalité. Voilà pourquoi, imaginais-je, le sentiment amoureux avait eu l'espace nécessaire pour se développer. Quelques mystérieuses affinités s'affirmaient au jour le jour, et nos caractères si opposés s'accordaient dans leur complémentarité.

Des preuves de son amour, j'en avais eu plusieurs, à commencer par son invitation à partager sa vie. Auparavant, d'autres indices m'avaient mise sur la voie des sentiments qu'il éprouvait envers moi. Ainsi, quand je lui avais confié certaines anecdotes de mon passé sentimental, il avait montré de l'agacement et de la jalousie. L'une d'entre elles notamment l'avait affligé au point d'en parler des années plus tard.

Dans les premiers jours de Mai 68, pour la première fois je participai, avec plusieurs journalistes spécialisés dans les problèmes de la jeunesse, à un voyage de presse en République fédérale allemande.

En mars 68, l'extrême droite allemande avait organisé un attentat contre le « meneur » allemand des étudiants socialistes révolutionnaires : Rudi Dutschke. L'événement généra de nombreuses et violentes manifestations en RFA durant les fameuses « Pâques rouges ». Pour Rudi, des milliers de jeunes allaient se battre, à coups de casques et de matraques, dans les rues des villes allemandes. A Paris, quelques jours plus tard, la faculté de Nanterre s'enflammait. Le 11 mai, après une journée de troubles, des barricades étaient montées au quartier Latin ; les voitures renversées en travers de la chaussée et des arbres abattus servaient de base pour les ériger.

C'était dans ce contexte que les journalistes, embarqués dans le voyage vers la RFA, devaient rendre compte de l'état des lieux dans la capitale allemande et prendre le pouls des divers mouvements de jeunes.

Nous passions nos journées à interviewer des fans de Rudi ou bien des contradicteurs d'extrême droite, dont il fallait aussi recueillir les idées et les réactions. Ensuite, nous dînions ensemble dans des restaurants fréquentés par la jeunesse berlinoise où nous confrontions nos informations. A l'hôtel, je partageais la chambre d'une journaliste qui, un soir, ne me vit pas rentrer. Je passais la nuit avec un confrère. En sa compagnie, je compris que les amants, peu nombreux, que j'avais eus avant lui n'avaient pas compté parce qu'ils n'avaient rien su me faire découvrir. Le récit minutieux de mes ébats berlinois contraria l'homme qui, désormais, m'aimait.

– Je suis bien plus jaloux, affirma-t-il, des hommes qui t'ont fait l'amour avant moi, que de ceux qui peuvent aujourd'hui chercher à te plaire.

– Tu parles comme Stendhal, mais Stendhal, c'est le dix-neuvième siècle ! lui fis-je remarquer.

– L'amour, c'est l'amour !

Des mots que l'on n'oublie pas. D'autant que leur auteur avait publié un recueil de dessins intitulé : *Je ne pense qu'à ça*, adapté ensuite pour le théâtre. Un an après l'accueil favorable de *Je ne veux pas mourir idiot*, la seconde pièce attira les quolibets : « Avec son premier succès au théâtre, la société de consommation a consommé le dessinateur de *L'Enragé*. En remerciement, celui-ci lui a cousu main un festival de mines lubriques, de regards concupiscents et de propos salaces, défense et illustration du pince-fesses érigé en règle de vie. » Ou bien : « A force de faire l'amour, ses personnages ne font plus la révolution. » Et encore : « L'enragé de mai a atteint la réussite sociale au moment où il devenait révolutionnaire. »

Et lui de répondre dans une interview : « J'aime les filles, le whisky, rire. Cela coûte de l'argent. Rien à voir avec mes idées. »

Dans l'album qu'il avait publié l'année précédente, *Je ne veux pas mourir idiot*, je me souviens de m'être sentie concernée par l'un des dessins : « Je suis obsédé par l'idée que je suis concerné », dit l'homme qui court derrière une fille aux longs cheveux. Celle-ci réplique : « Je suis concernée par l'idée qu'il est obsédé. »

Il fallait assumer ! La vie m'occupait tout entière sans me laisser le temps de réfléchir. Le rythme accéléré des années freinera mes envies de fuir déceptions et désillusions.

Entre mon travail au journal, les enfants dont, désormais, j'avais la charge, sans n'être plus tout à fait une enfant moi-même, le temps que je me devais de consacrer à leur père, à nos sorties nocturnes et nos nuits amoureuses, je vivais sans voir, sans comprendre, sans profiter. Petite abeille qui avait l'ambition de plaire à tout le monde, les enfants comprises, et qui, peu à peu, découvrait les réalités amères de l'existence.

Quelques cris aigus de petites mignonnes fatiguées, des rythmes de musique qui parviennent de leur chambre, de temps en temps une longue chevelure blonde ou rousse qui s'échappe dans le couloir. Je ne l'ai pour moi seule que le week-end, quand les filles s'installent chez leur grand-mère. En semaine, je patiente. J'attends. Parfois, je peste de me retrouver, si jeune, si inexpérimentée, dans cette situation de « mère de famille » que je ne suis pas. D'être à côté d'un rôle que, depuis toujours, je souhaitais ne pas jouer. Le soir, quand je rentre, éreintée, du journal, j'ai la sensation de courir vers lui avec ce désir irrépressible que j'avais éprouvé lors de notre rencontre. Puis, une fois sur le pas de la porte, la réalité m'envahit. Avant de mettre la clé dans la serrure, je respire fort, plusieurs fois, pour ralentir les battements de mon cœur. Le désir, lui, s'est évanoui. A l'extrémité du couloir, les petites, tassées l'une contre l'autre, m'observent. Pourquoi ne se jettent-elles pas dans mes bras ? J'ai besoin qu'elles m'aiment pour m'assurer de mon amour pour lui.

Pourtant, cette heure-là, c'est un instant comme je les aime. Le soir descend, abandonnant sur la ville un brouillard incarnat. Dehors, les gens sortis de leur travail s'agglutinent dans les commerces pour les derniers achats. Les klaxons résonnent dans les embouteillages. A l'intérieur, le silence est présent. Je cours d'une lampe à l'autre pour donner un peu de lumière indirecte. Puis, une fois devant le miroir, je m'abandonne. J'enlève le maquillage de la journée. Lentement, avec attention, d'un trait de crayon autour des yeux, d'une touche de mascara, d'un nuage de rose sur les pommettes, de la crème estompée sur les lèvres, je suis une autre, celle du soir. Celle qui l'attend, dans une tenue destinée à lui plaire.

Être séduisante ou ne pas être : voilà ce que révèle mon regard dans le miroir. Si je me séduis, je le séduirai. La mise en beauté du soir n'a qu'un seul et unique destinataire : lui.

J'y passe un temps fou, entre le teint, les yeux, la bouche à ourler et le reste, des épaules parfumées au pubis bouclé. Comme Virginia

Woolf, je pense que je pourrais utiliser ce temps à achever les lectures commencées, à lire les dossiers en instance, à apprendre une langue. « Avec tout le temps passé devant la glace, j'aurais pu apprendre le grec ! » écrivait Virginia Woolf dans son journal.

Sinon que ce n'est pas avec le grec que je séduirai mon don juan !

– Pourquoi tu te maquilles encore alors que tu vas aller te coucher avec papa ?

Une petite voix dans l'entrebâillement de la porte et juste le pan de la chemise de nuit qui dépasse.

– Hein ! Pourquoi ?

– Pour papa.

– Pourquoi ? De toute façon, il t'aime quand même.

Avec les enfants, enfant moi-même, j'ai toujours été coincée entre l'exaspération et la tendre admiration.

– Être belle, c'est un devoir, dis-je. Une marque de politesse.

– Alors, tu mets du noir et du rouge pour papa ? renchérit la petite. C'est lui qui te l'a demandé ?

– Non, c'est moi. Je me maquille pour moi aussi. Va dîner ! Ta nounou t'appelle.

Les questions de l'enfant me troublent. En effet, pourquoi, chaque soir, cette cérémonie du maquillage ? Ces artifices que j'ajoute, tels des accessoires, sur mon visage, sur mon corps ? Ai-je peur d'être ce que je suis ? Non ! Non ! Je suis dans l'erreur. J'aime ce moment où je me mets en valeur, où je me sublime. Mes motivations sont d'ordre ludique, je me divertis pendant ma séance de maquillage avec une intention certaine : me révéler à lui à travers la métamorphose qui s'opère devant le miroir. Aujourd'hui – et depuis longtemps, mais pas à l'époque dont je parle –, ce serait plus me révéler à moi-même. Je ne considère pas, et je n'ai jamais considéré, le temps de la beauté comme un moment futile de l'existence. Ce serait plutôt l'instant décisif où, parée, je trouve la liberté d'aller vers l'autre.

Mon visage fraîchement peint, c'est aussi mon cœur comme habillé de neuf, préparé à l'amour. Chaque jour, inventer de l'extraordinaire, de l'exceptionnel. Transformer le quotidien en une éternelle fête.

Un dernier coup d'œil dans le miroir. Je l'envie, lui, de m'avoir choisie. Parfois, j'aimerais lui voir les mêmes réflexes. Qu'il se prépare pour moi ! Qu'il prenne du temps pour lui mais dans le but de me plaire. Du temps qu'il me donnerait en plus. Non, dans ce domaine, il n'a qu'un seul souci : garder la forme, signe de bonne santé sexuelle. S'il diminue sa consommation d'alcool, ce n'est pas pour que cessent maux de tête et autres désagréments, comme prendre du poids, c'est pour mieux être performant au lit. Derrière « garder la forme », il y a « garder le pouvoir de la virilité ». La beauté de l'homme s'apparente à la réussite du coït.

Le désir irrépressible pour un homme passerait-il par le mariage ?

Qui en parlait ? Lui ou moi ? Quand il lançait des phrases définitives du genre : « Je veux que tu sois ma femme, pas la mère de mes enfants ! » « femme » sous-entendait-il, dans sa bouche, « épouse » ? A dire vrai, c'est aujourd'hui que je me pose ces questions. A l'époque, je manquais de temps pour m'introspecter et préparer l'avenir dans la réflexion. Si l'on savait que le temps court si vite, on ne le laisserait pas s'échapper bêtement.

Un beau jour, trois ans plus tard – je venais de passer Sainte-Catherine, avec désespoir, et sous les moqueries des copains du journal –, j'ai estimé que, malgré ses belles paroles qui affirmaient me vouloir femme et non pas mère – quelle gageure ! –, je tenais, sinon avec compétence, du moins avec sérieux, le rôle mal évalué d'épouse, c'est-à-dire de mère, d'amante et de maîtresse de maison – même si pour les trois, j'improvisais au jour le jour, en jeune première. J'oubliais de faire réciter une leçon, je manquais le rendez-vous avec l'institutrice, je cassais une soupière ou je brûlais une tarte, et j'ignorais les figures du *Kāma sūtra*.

Une épouse, dit le dictionnaire, est une personne unie à une autre par les liens du mariage. Je ne souhaitais pas être une épouse de fortune. Puisque le destin m'obligeait à remplir les attributs du rôle, autant le devenir officiellement. Il est illusoire de croire que l'on est maître de son destin. Disons qu'il y a des choix à faire, et ceux-ci esquissent ou, peut-être, déterminent les voies à suivre, les lignes de vie. J'avais le partenaire, les enfants, j'étais frustrée du titre et du nom.

Aujourd'hui, le raisonnement, tenu hier, me paraît vain. A l'instar de Catherine, je souffrais encore de mon éducation et du moule dans lequel j'avais vécu en famille. Le couple ne se lisait qu'à travers le mariage. Quand ma mère évoquait deux amoureux, hors la loi, elle baissait la voix. Je traduisais facilement ses chuchotements. L'affaire avait un goût de péché qui ne me déplaisait pas.

– Tu me donnes ton nom ? osai-je lui demander.

– Tu veux qu'on se marie ? Tu signeras tes articles de mon nom ?

– Ce ne sera plus ton nom, mais le nôtre !

– Oui, c'est bien comme ça. Alors quand tu veux. Enfin, quand nous aurons rassemblé tous les papiers, mais pas de chichis, pas de cérémonie.

Il me prit dans ses bras et, à cet instant, ses yeux reflétaient le bonheur.

– Tu m'aimes, ma petite jeune fille blonde.

Il n'y eut ni cérémonie ni simagrées. Rien qu'un vieux maire, une petite mairie de village sans importance, deux témoins anonymes et notre amour. J'étais émue d'avoir gravé son nom, devenu mien, au bas d'un parchemin.

D'un commun accord, nous avions écarté les proches. Lui, à cause de ses filles. Moi, pour que notre histoire soit complètement la nôtre. Je n'avais aucun désir de la partager avec quiconque. Ce jour-là, nous avions délimité le cadre dans lequel nous allions vivre. Nous. Nous. Nous. Rien que nous deux. Nous pratiquions un égoïsme forcené, indispensable pour le couple que nous venions de former, avec deux enfants dans la corbeille de mariage.

Un dimanche d'août, pour la première fois, je lus mon nouveau patronyme au bas d'un article que j'avais écrit. Ce nom aux origines d'Europe de l'Est, qui depuis trois ans chantait à mes oreilles, était devenu le mien. Pas une seconde, je n'avais imaginé que, en raison des prises de position provocantes de mon mari, il pourrait me porter tort. L'amour m'enfermait dans une bulle où aucune réflexion, aucun jugement n'était possible, voire souhaitable.

Changer de nom de famille devrait être un acte troublant. C'est se glisser dans une nouvelle peau, mais une peau empruntée qu'il faudra peut-être rendre. N'étais-je pas capable de comprendre que dans toute aventure de ce genre, on se lance dans l'aléatoire ?

– Mais qui es-tu vraiment ?

A plusieurs reprises, depuis que nous nous connaissions, il m'avait posé la question. Je ne savais quoi répondre. A part, reprendre ses propres termes.

– Je suis ta petite jeune fille blonde.

Ce « qui es-tu vraiment », ne signifiait-il pas : « Qui devais-je être ? » Il aurait dû signifier pour moi, si j'avais été moins innocente, moins passive : « Qui vais-je devenir ? »

Parfois, j'ai du mal à croire que cette histoire me concerne, que je suis l'innocente en question, l'héroïne. La mémoire ne génèrerait-elle pas de la fiction ?

Cela posé, devenir la femme de ce metteur en mots des brisures de l'époque m'a aidée, une fois l'innocence disparue, à me forger une personnalité longtemps étouffée par le fardeau de l'enfance. Une sorte de seconde naissance qui me plongeait dans la vie adulte. Il ne suffisait pas de tenir officiellement le rôle de « femme », encore fallait-il l'empoigner et le vivre pleinement.

Le voyage que nous fîmes dans le courant de l'été m'entretint dans l'illusion que nous commencions une vie de couple. Désir et plaisir n'ont cessé de se conjuguer durant notre périple. Ils s'imposaient à nous partout où nous allions. Ils nous habitaient. J'apprenais que l'instant seul a de l'importance, que le présent seul compte.

Puis, nous sommes rentrés, et nous avons repris l'existence familiale. Peu de temps après, s'est installée une autre forme de désir.

Le désir irrépressible que l'on a d'un homme passerait-il par le désir d'enfant ?

Bonne question ! Le virus me gagnait. Je le sentais effectuer son travail de sape. Catherine, la première, avait accouché d'une fille. Malgré cela, son calvaire en compagnie de l'énarque, devenu un homme politique remarqué, continuait.

– Quel calvaire ? répondait-elle à ma question. Si mon mari gagne les municipales, je suis une championne ! Une vraie femme politique. Parce que sa campagne, c'est moi qui l'ai faite et personne d'autre.

– Qui le saura ? Il n'avouera jamais publiquement que tu as monté sa campagne.

– On peut lui faire confiance là-dessus ! Alors ? S'il gagne, c'est que j'ai gagné !

J'enviais cette force qui dissimulait, sans que je le comprenne à l'époque, une vraie faiblesse. Quant au désir d'enfant l'avait-elle eu vraiment ?

De son côté, Patricia comptait déjà trois avortements volontaires. Son mari s'opposait toujours à la naissance d'un enfant qui les obligerait à verser, cette fois, virage brutal, dans le monde des adultes. « L'aspect social du mariage » les avait déjà l'un et l'autre chamboulés, expliquait Patricia, et un enfant les contraindrait à s'y noyer. A l'époque, je me demandais lequel des deux s'opposait le plus à cette naissance.

Au journal, je couvrais les manifestations organisées par les différents mouvements de femmes. Au cœur de cette foule de militantes bien plus adultes que moi, je me retrouvais confrontée à des questions concrètes qui me propulsaient à la vitesse de la lumière vers une interrogation fondamentale : y avait-il une liberté – celle que les femmes voulaient conquérir – quand on ne s'était pas forgé sa propre liberté intérieure ?

De là, petit à petit, l'idée s'est installée en moi. Un jour, elle est devenue une obsession. Où situer ce désir irrésistible d'abriter, dans son corps, une vie nouvelle, fruit de nos deux personnalités et du sentiment qui les reliait ? Était-ce un désir naturel et nécessaire, comme manger, boire ou dormir ? Un désir naturel mais pas nécessaire, comme faire l'amour ? Ou bien, ni l'un ni l'autre ? Quelque chose de plus fort encore, et c'était en cela qu'il était irrésistible ? Le plaisir, éphémère par essence, laissait place à la création. Comme lui qui remplissait des montagnes de feuilles de ses caricatures à l'encre noire, j'allais faire mon premier acte de création : le plus beau qui soit, puisqu'il serait de chair et de sang. Je donnerais vie à une créature conçue de nos gènes réunis. Je comprends que les hommes envient aux femmes ce bonheur immense et s'efforcent de leur faire payer.

L'aventure dura deux années de coïts sans ombre. C'est que, contrairement aux désirs naturels et nécessaires, assez faciles à satisfaire, celui-ci n'obéit pas au doigt et à l'œil. Il peut même se montrer contrariant.

Les filles, le futur papa et moi, tous imprégnés du même souhait, nous trépignons.

– Alors ! Vous deviez nous faire un bébé pour Noël ? demande l'une.

– C'est quoi cette plaisanterie ? questionne la seconde.

– C'est vrai ça, et ce bébé, c'est pour quand ? ironise le futur papa.

Je souris, sûre de moi. Sûre qu'il va pointer le bout de son embryon.

Les mois passent. Je m'interroge : je ne veux pas d'un enfant « à tout prix ». L'enfant doit habiter mon ventre s'il en a le désir. Je ne forcerai pas le destin.

Puis, un jour, quelques légers malaises et une certaine lassitude m'alertent. Peut-être que ça y est... Que je suis... Par prudence, je me tais. J'observe l'évolution de la situation. Un matin, je me regarde nue devant le miroir : mon corps n'est plus le même. Les seins pointus sont ronds et pleins. Ma taille fine s'épaissit. Un goût âcre encombre ma gorge. Sans cesse, j'ai l'impression de vaciller. Cette fois est la bonne. Plus rien d'autre n'existe que ce qui se prépare en moi. Difficile de partager cet immense plaisir qui touche autant le corps que l'âme.

– Éventuellement, il y aurait une possibilité pour que je sois..., dis-je en entrant dans son bureau.

Je suis face à lui, de l'autre côté de la table à dessin qui ne m'a jamais paru aussi imposante. Ses yeux noirs cheminent sur la feuille de papier au rythme de sa main.

– Pour que quoi ? répond-il sans lever la tête.

– ...

Tant pis pour lui, ce moment sera à moi et à moi seule ! Je cours à la pharmacie acheter un test de grossesse. De retour, je vacille trop pour ne pas le lui apprendre. Le lendemain, le test est positif. Cris de joie, embrassades et larmes joyeuses. Champagne, caviar et souvenirs de ces quelques jours passés sous le soleil romain, la veille ou le lendemain de Pâques où nous avons conçu notre bébé. Les neuf mois suivants, je dorlote en pensées et en paroles la vie qui germe en moi, pousse haut dans mon ventre, tandis que je milite activement pour l'avortement.

Trois cent trente et un médecins, bientôt suivis par trois cents autres, se sont ouvertement déclarés favorables à l'avortement libre, reconnaissant dans un manifeste avoir pratiqué eux-mêmes des avortements et affirmant être prêts à en effectuer d'autres, en cas de nécessité. Sous la pression des mouvements de femmes, ces médecins « rebelles » ont constitué, dans la capitale comme en province, des équipes qui accueillent et avortent, gratuitement le cas échéant, celles qui ne désirent pas l'enfant qu'elles portent. L'importance d'un tel fait, compte tenu de la loi datant de 1920, et de la position réactionnaire du conseil de l'Ordre, n'échappait à personne. Utilisant les connexions nouvelles que je devais à mon propre militantisme, je pus pénétrer dans l'un de ces centres. Le reportage dura plusieurs jours et fit l'objet d'une page entière dans le journal du week-end suivant.

Plus j'écoutais ces femmes dans la détresse, plus mon désir d'enfant prenait de l'importance et de la valeur pour moi. Plus je mesurais la chance que j'avais de mettre au monde dans la joie. J'assistai à l'avortement par la méthode Karman, c'est-à-dire à l'aide d'une seringue aspirante, d'une jeune Fatima qui n'osait pas utiliser la pilule contraceptive « parce que ça faisait prendre du poids, perdre les cheveux et que ça donnait le cancer ». C'était un médecin gynécologue qui lui avait affirmé cela, alors elle le croyait. La toute-puissance assassine de l'autorité médicale réactionnaire.

Pendant ce temps, le bébé toquait à la porte, mais prenait son temps, sans se retourner vers la sortie. Puis, clinique, bloc opératoire, une dernière fois je touchai l'arrondi de mon ventre. Retour dans la chambre où un faisceau de lumière blafarde nous réveille l'un et l'autre. L'œil noir et velouté du bébé me scrute, ses cils battent. Quelle chance il a d'avoir été tant désiré ! Quel aplomb cela lui a donné !

Le lendemain, sans demander la permission, nous attendons que l'infirmière ait conduit le berceau à la nurserie pour nous laisser aller à notre désir. Et le bébé n'a commis aucun dommage, le plaisir est plus fort que jamais. Lui s'en réjouit. Ma tête tourne de bonheur.

Ensuite, nous sommes trois. Ou plutôt cinq. Pleurs de bébé et larmes d'adolescentes se confondent dans l'environnement de la chambre dans laquelle j'ai élu domicile pour écrire. Ce que j'observe, ce que j'écoute, ce dont je témoigne dans la presse m'aide à faire mon chemin dans la compréhension des règles anarchiques de l'existence. Mûrir, c'est évaluer la distance entre soi et soi-même, entre soi et les autres. Entre soi et la vie. Entre soi et l'amour.

Il est vrai qu'aimer, c'est prendre un risque fou. Celui de ne plus aimer. De ne plus être désirée. De ne plus désirer. Patricia avait tenté de m'en avertir. Je ne l'avais pas écoutée.

Prendre de la distance avec le désir, ce qui soudain m'arrivait, est-ce prendre de la distance avec l'amour ? Jusqu'où le désir est-il lié à l'amour ? Pourquoi le désir s'efface-t-il après l'enfantement ? Ces questions m'encombraient.

Mardi soir. C'était le jour de bouclage de l'hebdo satirique dans lequel il publiait des histoires en dessins qui faisaient preuve d'un vrai sens de l'instantané. Il y traquait les poncifs et les stupidités de notre quotidien à travers des propos d'une grande insolence et d'une drôlerie percutante. Par-dessus son épaule, je regardais le travail accompli, et je l'enviais d'avoir ce don extraordinaire de faire rire en dénonçant les absurdités de la société et de la vie politique qu'il pointait. Sa lucidité et parfois une certaine naïveté faisaient le charme de ses caricatures. Son humour féroce m'avait conquise.

Mardi soir, c'était aussi le jour que je détestais.

Il partait en début de soirée. Dans la chambre des deux adolescentes, les livres de classe voltigeaient et les cris traversaient les murs. Le bébé, lui, pleurait ou hurlait, pour obtenir... quoi ? à manger ? de l'attention ? des baisers chauds ? J'avais, moi, besoin de baisers chauds. Je n'en finissais pas d'achever l'article à rendre pour le lendemain. Les mots m'habitaient pour aussitôt m'échapper. Les idées sitôt formées volaient en éclats sous la venue d'images tirées d'une mémoire fictive qui mettaient à mal ma concentration. L'angoisse montait dans ma gorge, des boules compactes m'empêchaient de respirer.

Je pensais à lui, à sa façon brillante de clore ses saynètes. Ses chutes claquaient dans la justesse et la drôlerie. Décidément, il avait du talent. Un vrai talent. Parfois même, quand il se lançait dans un monologue, rare certes, je lui trouvais du génie. Cinq minutes plus tard, il pouvait se conduire comme quelqu'un de totalement irréfléchi. C'était sa force à lui de ne pas être génial de façon constante et, ainsi, de dérouter.

Le mardi, c'était sa force à lui de créer, en se livrant à la lubricité, comme les copains de sa bande. Romain Rolland a écrit que la luxure souille les sources de la vie. Dans son cas à lui, elle souillait les sources de notre rencontre.

J'avais servi le dîner des filles pour que leur nounou puisse rejoindre son fiancé. Puis, j'avais fait la toilette de la petite sœur, et comme je me pressais pour retourner écrire, j'avais manqué de peu la laisser choir à côté de la table à langer. J'avais senti son petit corps élastique m'échapper des mains et, au passage, son regard égaré par la peur a accroché le mien.

Il m'arrive encore aujourd'hui, me remémorant cet instant, d'éprouver les mêmes sensations et les mêmes sentiments de désespoir que ce jour-là. J'ai encore la mémoire de l'odeur du petit corps qui m'échappe.

Les locaux du journal se trouvaient dans une rue étroite du cinquième arrondissement. Je les avais visités lors d'une fête. Les murs étaient couverts d'affiches représentant des femmes nues dans des situations que j'estimais humiliantes et de graffitis rappelant les célèbres slogans de Mai 68. Dans ce lieu où fourmillaient beaucoup de talents, mais aussi un bon nombre de créatures à la recherche du plaisir, de l'argent et de la célébrité, l'un d'entre eux était particulièrement prôné : *Il est interdit d'interdire.*

Quand rien n'est interdit, c'est plus ou moins, et souvent plus que moins, le bordel. Un bordel coloré et joyeux où la bande d'humoristes s'en donnait à cœur joie. Une fille, croisée lors d'une fête, m'avait raconté par le détail, avec une telle naïveté que je ne pouvais pas la taxer de mauvaises intentions, les séances tumultueuses de bouclage, où le champagne qui coulait à flots rendait l'ambiance de plus en plus joyeuse au fur et à mesure que la nuit s'avançait, et où les filles présentes s'échangeaient au gré du plaisir des dessinateurs et des écrivains du journal. Alcool, sexe, rire et compagnie...

Bien avant ce bavardage, j'avais compris que les séances de bouclage n'étaient pas seulement des soirées de travail intensif. Aussi, chaque mardi, j'angoissais dès le lever du jour. J'avais décidé de garder secret ce malaise, et de ne pas exprimer non plus devant lui le désespoir qu'elles généraient en moi dès qu'il avait fermé la porte de l'appartement.

J'aurais voulu le retenir, le garder dans mes

bras, profiter de sa chaleur et de son odeur. Je demeurais, un moment, derrière la porte, jusqu'à ce que l'une des filles vienne m'en déloger. Souvent, je penchais vers elle mes regards humides de larmes. Puis, la soirée s'enfonçait dans la nuit, enchaînant sans transition mes diverses tâches de maîtresse de maison, mère et journaliste. Le programme achevé, je traînais dans le salon, à lire les romans commencés ou à parcourir les journaux.

Les séances de pause devant le miroir n'avaient pas lieu. J'en savais leur inutilité : il ne rentrerait pas avant trois ou quatre heures du matin et son état ne lui permettrait pas de distinguer si j'avais cherché à le séduire.

Une fois, j'avais hésité à m'y rendre. Après avoir fait dîner les trois enfants, je m'étais longuement préparée, avec trois fois trop de khôl sous les yeux et trois fois trop de rouge sur les lèvres. J'avais enfilé une jupe très mini et un pull-over ultradécolleté. Finalement, après être passée devant le miroir, j'avais décidé de me déshabiller et de me coucher. Je portais encore en moi la peur de me retrouver sous la risée des autres. Malgré ces quatre années passées auprès de lui, je n'étais pas aguerrie. Chaque mardi, je ne parvenais pas à m'endormir. Souvent, je pleurais sur moi-même de ne pas être capable ou d'assumer ou de refuser.

Refuser, c'était partir.

Partir... Cet ennemi-là n'était-il pas dérisoire ?

Une nuit, l'équipe est venue au complet me rendre visite. La sonnerie a retenti, le bébé a pleuré. Je suis passée le consoler. Puis, j'ai enfilé le peignoir en soie noire qu'il m'avait offert, et je suis allée ouvrir. Plusieurs d'entre eux, dont lui, étaient ivres morts. Le patron du journal, renommé pour son fume-cigarette aux commissures de la bouche, son crâne rasé, son sens de la provocation et son ivrognerie, portait une trace de rouge à lèvres sur le col de sa chemise. Il m'a entraînée dans une danse folle à travers l'appartement. Je me suis laissé guider et j'ai souri. Ensuite, il leur a demandé de partir. Sur le palier, ils se sont mis à chanter un refrain de salle de garde. Il s'est écroulé sur un canapé.

Un autre soir, j'ai songé à m'enfuir avec mon bébé que j'avais roulé dans une couverture. Avant de sortir, j'étais entrée dans la cuisine pour remplir un biberon d'eau minérale. Le bébé tenait ses yeux grands ouverts. Au moment où je refermais la bouteille, il les a tournés vers la porte et j'ai fait comme lui. La plus jeune de ses sœurs était recroquevillée dans sa longue chevelure blonde et frisée, la chemise de nuit retroussée sur ses petites jambes maigrelettes, et elle nous regardait.

– Pourquoi t'as ton manteau, avec le bébé dans les bras ?

Elle s'est levée et elle a couru dans mes jambes, s'est frottée à moi. Elle était chaude et douce. Ses yeux brillaient de sommeil.

– Tu sais, je t'aime, chuchota-t-elle.

Elle baissa les paupières et s'endormit contre ma jambe. Je la soulevai et marchai dans l'appartement, un enfant de chaque côté. Ils s'étaient rendormis sur mes seins. J'eus l'impression de vivre un grand moment de paix et d'émotion.

Tristesse des lendemains. J'avais bien du mal à surnager et accomplir mes différents rôles. Peu à peu, je m'apercevais que mon désir, réapparu, à nouveau déclinait. Ce déclin m'intéressait. Je le tournais dans tous les sens pour l'analyser.

J'avais une petite trentaine, la réputation en matière de liberté sexuelle de l'homme de ma vie n'était plus à faire, il m'avait aidée à me débarrasser de quelques inhibitions. Pourtant, je commençais à accumuler des haines sourdes qui érigeaient de véritables forteresses entre moi et mon désir.

Je me posais la question : où en étais-je de mon amour pour lui ?

Bon an, mal an, je continuai à détester les mardis soir, jusqu'à ce que le journal n'existât plus. Dans les années quatre-vingt, la vague des « yuppies » avec leur costume-cravate, leurs lunettes noires et le fric comme religion, a ringardisé les anciens de 68 ; résultat : l'hebdo satirique ne faisait plus son plein de lecteurs et, parallèlement, le mensuel hystéro-satirico-porno que fabriquait le groupe connut une belle faillite par manque d'une gestion claire et honnête.

Je note, au passage, que les fameux « yuppies » ont plus vite disparu que les anciens de 68, qui, eux, sont revenus en force. Dix ans plus tard, l'hebdo reparaissait.

A ce moment des années quatre-vingt, l'équipe se dispersa dans d'autres collaborations et leurs joyeuses et débridées parties ne furent plus qu'un souvenir d'ivresses et de copulations effrénées.

Comme la mer, le couple est soumis à des marées, des flux et reflux, des vents, des tempêtes. Une mer étale, sereine, tranquille. Nous nous laissons bercer par son clapotis monotone, noyé dans son azur et soudain, elle se démonte sans prévenir, se soulève, écume. Nous sommes ballottés sur la crête de vagues monstrueuses, entre creux et reliefs, livrés à la merci de rouleaux et de barres, perdus dans des brumes glauques. Le vent rapide chasse les nuages emportés vers ailleurs. La violence tombe, la crête s'écroule, demeure au loin un murmure. A nouveau, nous voguons vers d'autres rivages plus accueillants. Personne n'y échappe. Même les navigations les plus chanceuses s'exposent aux caprices et aux perfidies de la vie.

Embarqué au port, dans une navigation que j'imaginais des plus heureuses, après quelques années, le couple que je formais avec lui ne cessait d'être exposé à mille dangers, mille ennemis.

Après avoir décidé que l'exercice de son pouvoir de séduction, agrémenté d'une sensualité sans brides, s'avérait dérisoire, je fus confrontée à la misogynie qu'il pratiquait dans ses œuvres. Comment ne pas en avoir pris conscience plus tôt ? Étais-je aveuglée par mes sentiments, par le désir exacerbé que j'avais à l'époque de lui plaire à tout prix ? Résultat, je vivais, tranquille, dans l'inconscience de l'insouciance.

Puis, vint ce jour où j'effectuai pour le journal un reportage dans les locaux d'un mouvement féministe. Les responsables me proposèrent d'assister à l'entretien qu'elles allaient avoir avec une femme, tout juste sortie d'un hôpital parisien, après de graves sévices perpétrés par l'homme avec lequel elle vivait depuis plusieurs années. Je me souviens d'elle : très brune avec de jolis yeux noirs, mais le teint gris, les yeux et la bouche déjà ridés par la souffrance et le malheur. Une jeune vieille. Exerçant sur elle un sadisme meurtrier, l'énergumène lui avait injecté de l'eau de Javel dans le vagin. Comme elle cherchait à se débattre, homme l'avait tabassée au point de lui faire perdre connaissance. La douleur extrême provoquée par de terribles brûlures l'avait sortie de son coma.

Elle dévida son récit, à mots couverts, d'une voix monocorde, hachée, avec des réticences et de soudains silences. Elle dit la souffrance accumulée, les sévices quotidiens. Avant de quitter la salle, j'allai l'embrasser et lui exprimai ma solidarité. Elle m'agrippa par le bras.

« Je ne suis pas la seule... écrivez-le dans votre journal, il y en a beaucoup de femmes torturées, humiliées, écrivez-le, ça doit se savoir... »

Savoir qu'une femme sur dix est victime de violences conjugales. Que les souffrances psychologiques sont encore plus destructrices que les violences physiques.

Une militante lui proposa de l'emmener déjeuner, elle la suivit. J'emportai ses paroles, son regard aussi. Face à cette malheureuse, je m'étais sentie coupable d'avoir eu, parfois, une attitude complaisante devant l'exercice de la misogynie. N'avais-je pas souri en regardant des dessins particulièrement machistes de l'homme dont je partageais la vie ? Je me souvenais avoir souvent réagi positivement par la force des choses et avoir pensé par-devers moi tout le contraire, ce qui me rendait encore plus coupable, encore plus lâche. Comment s'amuser de plaisanteries misogynes alors que des femmes subissaient la torture ? Pouvait-on rire de cela ? Pouvait-on rire de tout ?

De ce jour, j'eus de plus en plus de contacts avec les différentes organisations féministes. Notre travail et notre réflexion communs m'ont rendu odieuses les difficultés que rencontraient les femmes, dans leur vie professionnelle où bien des portes leur étaient fermées, dans leur vie privée encore où se pratiquaient le viol conjugal, la soumission obligatoire et parfois la torture. Au cours des nombreux et bouleversants récits de celles qui jetaient, dans les bureaux des associations, de véritables bouteilles à la mer, je prenais conscience de l'importance de la mobilisation pour que les barrières tombent, que les mentalités évoluent, que les pouvoirs soient partagés entre les deux sexes. Il y avait du chemin à parcourir. Si chacune commençait à appliquer de nouveaux codes dans son propre couple, nous gagnerions en temps et en puissance.

Je lui en parlai. Il approuva sans renâcler. Nous étions enfin sur le point d'équilibrer les rapports de force.

La situation historique de l'époque m'a aidée à parvenir à plus de maturité. Sans cela, j'aurais mis du temps à me délivrer de la soumission et de la défiance de « la petite jeune fille blonde ».

Désormais, je passais plus d'heures à la permanence du mouvement que dans l'appartement où il dessinait, où le bébé était devenu une petite fille capricieuse, imaginative et attachante, et où les aînées prenaient leur envol dans la douleur.

Le bureau où nous nous réunissions était composé d'une petite salle étroite et humide et d'une sorte d'office où nous préparions des boissons chaudes pour nos visiteuses. Les écouter m'a changé la vie. Elles vivaient beaucoup plus mal que moi, étaient encombrées d'autant de peurs et de lâchetés, d'une même dose de soumission, vécue comme un fardeau, mais toutes étaient douées d'une volonté féroce d'en finir. En luttant pour elles, j'ai lutté pour moi et contre moi.

Il écoutait, apprenait, comprenait, prenait conscience, approuvait, soutenait. Il m'accompagnait dans les manifestations, portant sur ses épaules notre petite fille excitée par la foule colorée des femmes, par leurs cris qu'elle reprenait avec enthousiasme. A six ans, elle avait intégré les principaux slogans du féminisme.

Il lui arrivait aussi d'illustrer des articles dans le journal de l'association pour laquelle je travaillais. Je craignais toujours, le lui demandant, qu'il se lance dans la provocation. Il savait être dans la ligne de ce que j'attendais.

Hélas ! dans son hebdo, je découvrais des caricatures de caricatures d'une grossière misogynie dont il jouait avec un malin plaisir. C'était sa façon à lui de me faire savoir que l'équilibre récent de nos rapports compliquait son existence.

Désormais, je faisais passer ma vie avant la sienne, mon travail avant le sien, et souvent l'amitié entre femmes, que je venais de découvrir, avant l'amour dont je croyais avec impertinence avoir fait le tour. J'organisais des dîners au cours desquels je réunissais mes nouvelles amies. Les filles, la petite sœur et lui étaient au spectacle. J'approchais une forme de bonheur que je ne connaissais pas encore. Du bonheur qui se greffait sur le cours du destin.

Il continuait d'observer, sans jamais prononcer le moindre reproche pour mes absences ; soutenait mon discours, devenu au fil des jours et de ma réflexion féministe, de mes lectures et de mes connaissances, une véritable déclaration de guerre contre le machisme ambiant. Foudroyant réquisitoire contre des mœurs, des idées, des gestes, des paroles que je ne supportais plus. L'enfant rebelle que j'aurais voulu être, mais qui s'était laissé étouffer, renaissait enfin ! Il ne disait mot. Au contraire, il acquiesçait. Assénant çà et là quelques petites vengeances sous forme de dessins.

Ainsi m'a-t-il aidée à me servir de la liberté pour mieux profiter des jouissances de l'existence. J'ai pu vivre de façon enivrante les scandales soulevés par mes actions et celles de mes amies militantes, les conquêtes gagnées, les bastions qui s'écroulaient l'un après l'autre, les portes entrouvertes. Le scandale s'avérait important pour briser la carapace des résistances dans tous les domaines. Il s'en amusait mais, en ma présence, soutenait mes actions et mes jubilations. Ensuite, seul devant sa feuille blanche, il croquait des hystériques dites mal baisées – mais s'il y a des mal baisées, c'est qu'il y a de mauvais baiseurs– ou des petites femmes fessues et surtout très soumises. Pour un phallocrate, aimer, c'est soumettre.

Il ne pouvait s'empêcher d'être phallocrate, un mot que je venais de découvrir, tout juste apparu dans le dictionnaire. La phallocratie n'est rien d'autre que du sexisme puisqu'elle génère la soumission, c'est-à-dire l'esclavagisme.

« Je ne trompe ma femme qu'avec mes dessins », affirma-t-il sur une station de radio. Même de cette façon, je ne le supportais pas.

J'avais l'impression qu'il mettait un point d'honneur à faire savoir que, malgré mon influence, il ne s'était pas converti à l'égalité des rapports entre les deux sexes. Pourtant, en privé, il l'était, converti. Il a continué de l'être. Une conversion sans faille.

Cet ennemi-là, je ne l'aurais pas considéré

comme dérisoire. Parce que je n'ai aucune prédisposition à la soumission.

A ce propos, l'histoire d'un personnage de femme, qu'il avait imaginé pour le mensuel « bête et méchant » auquel il collaborait, est particulièrement intéressante pour comprendre ce qui agitait, à l'époque, notre couple. Citation. La femme, accusée d'avoir défoncé le crâne de son mari à coups de marteau, subit un interrogatoire de police dans lequel le policier décline l'ensemble des raisons qui aurait pu motiver ce geste violent. Était-elle battue ? Renâclait-elle à faire l'amour avec lui ? Était-elle malheureuse. Réponse : non ! Alors ? demande le policier. Il m'empêchait d'être moi-même, répond le personnage. Mais le policier, bien sûr, ne comprend pas cette réponse énigmatique pour un homme normal. Et le personnage précise : Je voulais être une femme, et non pas sa femme.

Son intuition, si fine parfois, avait mis le doigt sur le problème : contrairement au personnage, je ne contestais pas d'être pleinement et de tout cœur « sa » femme – cette possession-là ne m'a jamais gênée –, mais je voulais garder mon intégrité de femme.

Quand je décante le passé, je ne vois rien à regretter, ni les soutiens-gorge jetés dans les caniveaux, ni les actions de commandos contre ceux qui voulaient nous barrer la route, ni les manifs hallucinantes, ni les réquisitoires. Ce militantisme fut formateur. Désormais, en matière de rébellion, je connaissais la pratique et la dialectique.

Restait une question en suspens : pourquoi l'intensité de mon désir, et finalement l'amour que je portais à cet homme, variait-elle en fonction de ce que j'appelais « ses trahisons » ? Je ne peux rien donner, et surtout pas mon corps, à celui qui me trahit. En fait, ce que je considérais comme trahisons n'était pour lui que le strict exercice de son métier.

Bref, entre le pic maximum de mon désir, et le pic minimum, voire le non-désir, il y a tout un éventail de sentiments contradictoires qui font que chaque jour est un autre jour complètement inédit. La monotonie ne s'installe pas dans un couple comme celui-ci. Reste la crainte que cette bête immonde qui s'appelle « désamour » ne s'incruste.

Parfois, la vague était grosse et le navire tanguait, pour mieux progresser vers le large. J'avais le sentiment d'avoir combattu un autre ennemi dérisoire et de m'en être plutôt bien sortie.

J'étais passée, en partie grâce à lui et à l'époque, d'un état de faiblesse, lors de notre rencontre, à une grande force dont il était conscient. Comment allait-il s'en accommoder ?

C'est ce que l'avenir allait nous expliquer.

Des ennemis, il y en a toujours dans un couple. Il y en aura toujours avec lui, provocateur-né.

Il ne croyait en rien, ni en Dieu ni à l'âme, ni aux idées politiques, de droite comme de gauche. Certes, la révolution de 68 lui avait apporté la célébrité et une place dans la société, pourtant, en lui-même, il restait l'anarchiste qu'il avait découvert en lançant des pavés devant la Sorbonne.

Puis, il s'est mis à croire.

Croire à des idées qui, au lendemain de la Seconde Guerre mondiale, avaient peut-être été exaltantes et que l'on avait crues révolutionnaires mais ne l'étaient plus. Croire tandis que les autres, de Gide à Sartre, du couple Desanti aux Signoret-Montand, se dépêchaient avec raison de sortir de leur aveuglement.

Les choses sont allées très vite et je n'ai pas vraiment compris ce qui se tramait. Un soir, nous dînions avec de nouveaux amis qu'il tenait à me présenter : lui, journaliste et écrivain, elle, éditrice. Des gens charmants, drôles, cultivés, aimant la vie et s'aimant. Voilà ce que, ce soir-là, ils avaient laissé paraître. Spécialiste de Stendhal, notre hôte récitait des paragraphes entiers de ses œuvres principales. J'étais sous le choc de la séduction et du charme qu'il déployait avec ses yeux d'un bleu profond, ses chemises assorties et ses tempes argentées.

– Que penses-tu de cet homme ? me demanda-t-il.

– Étonnant ! répondis-je. Quelle séduction !

– Tu as raison, il est vraiment étonnant. Il me plaît.

Le lendemain, il publiait son premier dessin

politique à la une du quotidien communiste français. Notre hôte n'était autre que le rédacteur en chef du journal. Du jour au lendemain, il était devenu l'éditorialiste caricaturiste de l'organe du PC, tout en continuant, paradoxalement, à collaborer chaque semaine à l'hebdo satirique. Une collaboration de plus en plus corrosive. Comment cela se passait-il dans sa tête de créateur ?

Pendant un temps, j'ai essayé de comprendre cette nouvelle option. J'ai cherché l'« épingle », comme dit Alain dans ses *Propos sur le bonheur*. Je voulais mettre la main sur l'élément perturbateur et générateur de mes agressions contre lui.

L'idée d'une cité idéale où les hommes, non corrompus par le pouvoir et l'argent, deviendraient égaux, une cité sous le commandement de la Raison et de la Justice... Cette vision utopique avait déjà été élaborée au cours des siècles par d'autres penseurs. A commencer par Platon. Elle était là, la générosité dont l'homme que j'aimais faisait état à propos de ses récents amis. Dans la philosophie. Pas dans la pratique.

Puis, j'ai renoncé à me battre. Derrière la

générosité dont il parlait, il y avait tellement de morts, tellement de sang. Personne ne pouvait ignorer les innombrables crimes commis, crimes contre ceux qui n'étaient pas dans la ligne, fusillades d'otages, ordres d'exécutions en tout genre, crimes contre l'esprit, crimes contre la culture.

Il y avait si peu de liberté ! Gide l'écrivait en 1936, dans son *Retour de l'URSS* : « Cette culture est tout aiguillée dans le même sens ; elle n'a rien de désintéressé ; elle accumule et l'esprit critique (en dépit du marxisme) y fait à peu près complètement défaut. [...] Cette critique ne consiste qu'à se demander si ceci ou cela est "dans la ligne" ou ne l'est pas. Ce n'est pas elle que l'on discute. Ce que l'on discute, c'est de savoir si telle œuvre, tel geste ou telle théorie est conforme à cette ligne sacrée. Et malheur à celui qui chercherait à pousser plus loin ! »

Lui, tant épris de liberté, l'un des acteurs de Mai 68, comment s'accommodait-il de cet état d'esprit qui ne pouvait que mettre en péril un pays et sa culture ?

A-t-il cherché à tout ignorer pour se lancer

dans une aventure plus provocatrice que s'il avait soutenu les socialistes ? Souvent, j'ai observé qu'il agissait sans être informé, comme s'il refusait de savoir pour continuer à croire à un rêve. En l'occurrence, celui d'une société juste pour tous. Dès les années trente, les créateurs soviétiques avaient perdu toute liberté. Personne ne l'imposait. Seules les œuvres qui inclinaient dans le sens de la ligne furent jugées dignes d'intérêt. On nettoya le pays des fortes têtes, celles qui désiraient aller à contre-courant. Un dessinateur de presse fut viré de la rédaction du journal humoristique *Krokodil* pour avoir critiqué dans une discussion la campagne de calomnies menée contre l'écrivain Soljenitsyne. Un soir d'hiver, on l'a retrouvé sans vie, la tête noyée dans la neige, à la suite sans doute d'une cuite de désespoir à la vodka.

Ce côté sombre du communisme sous Lénine, sous Staline, fut dénoncé par nombre de témoins, voire de victimes. Et même dans les années cinquante par le Kremlin lui-même. Le fameux « rapport secret » livre les actes sanguinaires des bolcheviks. Puis, il y avait eu Prague. Comment continuer à « croire » après

Prague qui provoqua une véritable hémorragie chez les intellectuels du Parti ?

Je voulais comprendre pourquoi la force de conviction était de leur côté, et non pas du mien. Je dirais, du nôtre. En effet, nous étions nombreux à tenter de le raisonner. Ses amis, ceux d'avant, ceux de Mai 68, tous ceux qu'il avait déçus, comme ses ennemis aussi, devinrent des détracteurs acharnés. Je souffrais de lire dans la presse déchaînée contre lui des articles qui étaient des descentes en flammes, des moqueries souvent perverses ou des lettres ouvertes amères. Ainsi, parue dans le quotidien *Libération*, en 1979, celle d'un ancien militant communiste qui, lui, avait voulu, comme il l'écrit : « regarder dans les tiroirs », et ce qu'il y avait découvert l'avait fait fuir. Normal ! Il rappelait cette belle phrase de Jean Jaurès, le fondateur du même quotidien : « Le courage consiste à chercher la vérité et à la dire. »

A une émission d'« Apostrophes », l'animateur avait eu l'idée très médiatique de l'opposer au directeur de *Libération*. Une explication entre deux anciens combattants du gauchisme. « Passe encore, dit celui-ci, que tu te sois expurgé toi-même en œuvrant pour le quotidien du PC, mais tu es entré, que tu le veuilles ou non, dans un certain ordre moral, qui ne peut pas ne pas déteindre au plan politique. Et tu l'as prouvé : tu t'autocensures. Et ça, on ne le comprend, on ne l'approuve pas. »

J'étais comme eux, je ne comprenais pas, je ne l'approuvais pas. Carrée dans un fauteuil, seule, face à l'écran de télévision, je versais des torrents de larmes. Parce qu'il était attaqué par des gens que je respectais, parce qu'il se défendait avec des arguments qui ne pouvaient pas être les siens. Je ne voulais pas y croire. Je ne l'ai jamais autant aimé qu'à ce moment où je l'ai senti en danger vis-à-vis des autres, et vis-à-vis de lui-même. Les responsables du journal communiste eurent tort de publier dans leurs colonnes, à la suite de l'« affaire » que déclencha la publication des premiers dessins, qu'il avait choisi son camp.

Un humoriste n'a pas de camp ou bien il n'est plus un humoriste. Le seul camp qu'il se soit à jamais choisi est celui de l'intelligence. Une intelligence qui s'exprimait à travers la provocation désormais mise en veilleuse, pour cause d'autocensure, comme l'avait souligné, avec raison, le directeur de *Libération*.

Impossible donc de lui apporter mon soutien comme il l'avait fait au moment de la cause féministe. J'estimais l'avoir converti à des idées d'avenir. Lui développait au sein de ce journal d'opinion communiste des idées dépassées, sectaires, sans lendemain. Les lendemains ne chanteraient jamais, le communisme avait fait échouer une très belle idée : le socialisme. Mais, ça, on le savait depuis longtemps.

Pourtant, quelques mois plus tard, je l'accompagnai à Moscou, invités par le journal du Parti, la *Pravda*. Pendant plusieurs semaines, j'avais hésité à le suivre dans cette aventure. Puis, je décidai de me faire ma propre idée sur l'URSS. Je n'ai pas été déçue du voyage !

Conférence de rédaction, un matin de juillet, dans les locaux de la *Pravda*. La salle ressemble à un immense amphi. Une cinquantaine de journalistes russes, tous des hommes – les femmes, elles, balaient les rues –, sont assis autour d'un bureau. Nous, lui et moi, sommes installés sur un gradin supérieur, accompagnés de quelques dignitaires du régime. Des hommes glacés, en costume-cravate des années cinquante, les lèvres figées sur de faux sourires. Et bien sûr, près de nous, l'indispensable interprète, agent zélé du KGB, qui traduit ce qu'elle veut bien traduire. L'ambiance est plombée, seulement troublée par quelques chuchotements comme ceux que l'on perçoit sous la voûte d'une chapelle. Soudain, la porte s'ouvre : entre le directeur de la rédaction. Pour la première fois, je vois une armée de journalistes au garde-à-vous.

L'homme parle d'une voix grave, avec peu de respirations et sans pause. Qu'expose-t-il ? A ma demande, la guide traduit : il s'agit de faits divers qui, probablement, feront la une du journal du lendemain. Les auteurs en sont des gens sortis de la ligne. Des têtes qui doivent tomber.

Il est raide, comme impressionné par la scène. Moi, j'enrage parce que je suis consternée. Cet homme, au centre, dans son costume sombre, a cautionné des morts, des tueries. S'il n'a pas donné des ordres d'exécution, il a lancé des dénonciations. Ce qui revient au même. Vingt minutes d'un monologue qui ressemble plus à un discours politique – j'en juge bien sûr par le ton – qu'à l'exposé d'un rédac-chef à deux doigts de mettre sous presse. Quant aux journalistes-soldats, pas un ne prendra la parole.

Nous ne visiterons pas les locaux où ils écrivent et nous ne les rencontrerons pas. Nous sommes entraînés vers les bureaux de la direction où nous attend un autre directeur, chargé, lui, du courrier des lecteurs. Il nous a préparé quelques exemplaires de lettres plus ou moins représentatives de l'ensemble du courrier. De l'une à l'autre, nous passons de l'éloge décerné à la direction de la rédaction à la dénonciation d'actes délictueux. Les lecteurs sont des vrais citoyens. A travers leurs écrits, on devine la peur sous la louange et la flatterie, mais l'homme responsable du secteur nous démontre combien ils sont heureux.

– C'était intéressant, tu ne trouves pas ? me demande-t-il, dès que nous quittons le bureau.

– Ça, tu peux le dire, c'est vraiment intéressant, comme démonstration !

Le ton est vif. Il me regarde, étonné.

Le sang a coulé pour quel résultat ? C'est la question que je me pose tandis que je me promène dans les rues. L'interprète me colle toujours, mais elle ne peut pas m'empêcher d'ouvrir les yeux sur la réalité. Sur la vérité. J'ai l'impression de croiser des personnages rencontrés sur les clichés des livres d'histoire. La population fait des heures de queue pour acheter de simples pommes de terre ou une miche de pain. Combien gagne cette petite grand-mère chargée de faire reluire les marbres de la station de métro Maïakovski ? Nous ne le saurons pas.

Des mots, des mots que je crie par-devers moi et rien d'autre. Ici, je n'ai aucun droit, même pas de demander où en est la contraception dans l'ensemble du pays. L'interprète qui joue les guides me fait remarquer que je ne suis pas l'« invité », mais son « accompagnatrice », et que, de ce fait, elle n'est pas obligée de répondre à mes questions. D'elle, je n'apprendrai rien sur le pays. Sur les femmes. Encore moins sur les rapports qu'entretiennent les deux sexes. Aucune information ne se glissera dans ses longues et ennuyeuses homélies.

Nous rentrons épuisés à l'Hôtel des Amis, résidence des hôtes étrangers où nous sommes logés. Enfin, moi particulièrement. Il a plutôt tendance à rayonner. Lui, l'hôte du journal du grand parti de l'URSS. Il vide les innombrables verres de vodka que l'on nous tend – moi, je les verse dans les pots de fleurs, heureusement il y en a partout même si elles sont très laides : comment des fleurs peuvent-elles être aussi hideuses ? –, il répond aux multiples discours de bienvenue partout où nous passons, cinq, six fois dans une même journée. Après deux jours de visites et de rencontres sans discontinuer, il dit être « rodé ».

– Ça m'aura au moins servi à ça, ce voyage : apprendre à faire un discours, à porter un toast.

Il ne plaisante pas. Il est heureux, l'hôte de marque. Je le sais, j'en ai le sentiment. Je le lis dans ses yeux. Il aime ça. Les congratulations, les échanges de cadeaux, les vœux, la reconnaissance.

Le dessinateur sulfureux, le grand spécialiste des croquis vite noircis, provocateurs et bouillonnants, le créateur des dessins griffonnés sur un coin de table dont la vivacité et l'acidité de jeune effronté ravissent ou renversent, l'auteur de *Je ne pense qu'à ça*, l'homme qui m'a séduite, celui dont je suis éperdument amoureuse, a disparu sous les ors et les flatteries d'une Nomenklatura qui, au nom de la dictature du prolétariat, oppresse le peuple russe.

Je suis venue. J'ai vu.

Dans la chambre de l'Hôtel des Amis, au creux du lit dont les ressorts grincent, atteinte d'une frigidité consternante, je me transforme en statue de marbre. Ma bouche ne délivre aucun son, mon corps demeure raide sous les caresses insistantes. Je refuse de faire semblant. Ce serait me trahir. Mon désir est mort. Je l'ai enterré avec mes illusions.

A Saint-Pétersbourg, la ville est si belle, si lumineuse, que je crois renaître. Une nouvelle interprète nous sert de guide. Elle est plus charmante et plus accueillante que la précédente. Elle sait se faire discrète. Ainsi, lors de la visite de l'Ermitage, elle s'éloigne devant notre complicité retrouvée, face à des chefs-d'œuvre qui, jusque-là, nous ont fait rêver dans les pages des beaux livres. Il a passé sa main autour de mes épaules, la mienne enserre sa taille. Je me tais.

J'aime l'écouter quand il parle de peinture. Il sait dire avec des mots justes l'émotion de l'artiste. Nous restons des heures devant *Le Baiser dérobé* de Fragonard. Même s'il précise que le peintre français n'a pas la force d'un Goya, cette merveille, très représentative de ce qu'il appelle « la galanterie française », le fascine. Pour chaque détail – le regard de l'héroïne, le châle qu'elle tient négligemment, les plis de la robe qui galbent les formes, l'angle choisi pour le profil du séducteur –, il développe une idée originale, sensible, généreuse. Lui, si peu prolixe à l'ordinaire, se laisse aller et me fait pleinement partager son émotion. Les quelques touristes qui arpentent le musee n'existent plus. Nous sommes seuls. Je le regarde et je l'aime.

Puis, nous avançons dans les salles, et l'interprète nous guide, avec gourmandise, vers les peintres du réalisme socialiste, devant lesquels elle s'extasie.

– C'est tout de même superbe ! s'exclame-t-il.

Je souris devant son extraordinaire sens de l'adaptation, et l'incroyable cocasserie de l'œuvre : un ouvrier stakhanoviste tendu vers l'effort pour sauver la révolution bolchevique. De la peinture stalinienne par excellence. Il observe mon ironie et se fâche :

– Tu me gâches mon voyage !

Ce n'était pas vraiment mon objectif. Je me tais : je n'ai rien à rétorquer, et l'interprète se montre trop attentive à nos dissensions. Je les abandonne tous les deux à l'époque stalinienne, à ses tableaux démesurés, et gagne la division des expressionnistes, face auxquels, dès qu'il me rejoint, nos discordes s'évanouissent.

De retour à Paris, les questions fusent sur le voyage. Je rêve d'être douée du sens de la comédie, d'éblouir les autres dans un rôle qui n'est pas le mien. Les signes de la déception et de l'amertume se lisent sur mon visage. Je livre à mon amie Patricia quelques détails sur ce que j'appelle « la petite mort de mon désir ».

D'emblée, je n'ai parlé que de moi, de lui et du voyage en URSS. Patricia a écouté, parfois avec quelques hochements de dénégation. Soudain, ses joues ruissellent de larmes.

– Lui, il t'aime ! Lui, il t'aide à te construire et ne te détruit pas, lui, il te rassure sur le plan de la séduction, il n'a pas créé entre vous des relations sado-masochistes... alors, tu sais, tes petites récriminations sur ses tendances politiques...

Je suis surprise par la violence du ton.

– Je viens de passer sept ans avec un homme, précise Patricia, et je collectionne les souvenirs de souffrance, tu comprends pourquoi je réagis à tes propos ? Un homme qui n'a jamais su me dire que j'étais jolie !

Sept ans d'insécurité permanente et un dernier Noël qu'elle raconte dans les sanglots. Elle passe la journée du 24 à préparer le réveillon qu'ils vont partager. Il rentre chargé de paquets qu'il dépose dans l'entrée. Elle tourne autour de lui, et des paquets.

– Regarde un peu tout ce que je me suis acheté. Un, deux, trois, quatre. Voilà, ce sont les cadeaux que je me fais. Qu'en penses-tu ?

Ce n'était pas une farce.

Patricia s'est décidée à partir. Le jour où elle a récupéré ses affaires, ce délicat mari avait abandonné un mot sur la table de la salle à manger : « On se quitte parce qu'on s'aime. »

Pendant mon voyage en URSS, elle avait entamé la procédure de divorce, une procédure que son mari refusait. Je compris son agacement à mon égard. Ses remarques me permirent de minimiser les dissensions qui étaient nées au sein de mon propre couple. Où l'amour avait su prendre assez d'espace pour que chacun, lui et moi, construise sa vie malgré les obstacles et les pièges.

1981, victoire socialiste de François Mitterrand. Je passe l'épisode du programme commun, pendant l'élaboration duquel il ne cesse d'être mis à contribution, croquant, dessinant, griffant çà et là, sans faire trop de mal. Puis, surgit un événement de taille : des ministres communistes entrent au gouvernement. La réaction du rédacteur en chef du journal du Parti est immédiate.

– Désormais, lui précise-t-il, attention a ne plus assassiner les socialistes dans tes dessins. Ils sont devenus nos amis !

Le soir, après le dîner, il se montre silencieux, préoccupé, évasif dans les réponses qu'il consent à donner à mes questions. Je connais ses silences et souvent je les apprécie. Cette fois, ils m'inquiètent. Dans ces moments-là, je l'aime encore plus et j'ai envie de le protéger. Il mange sa lèvre supérieure et son regard vacille. Signes significatifs qu'une situation l'embarrasse et l'obsède. Je n'en saurai pas plus si je ne me livre pas à ma ruse favorite. Je m'assois sur le bras du fauteuil où il a pris place. Je loge mon visage contre son épaule, dépose des baisers dans son cou, me laisse choir dans ses bras. Tout ce qu'il aime et que je répétais à foison à l'époque de « la petite jeune fille blonde ».

– Tu sais, je vais quitter le journal du PC. Je ne me sens plus libre !

Il raconte l'entrevue qu'il a eue avec la direction, parle de sa déception, de la réflexion qui l'a agité jusqu'à ce qu'il rentre à la maison. Je renchéris sur sa naïveté, sa crédulité. Je cherche à le mettre en garde.

– Tu as souvent raison ! Non, tu as toujours raison ! avoue-t-il.

Nous rions.

– Ça finit par être très énervant que tu aies toujours raison, mais je t'en remercie.

Il me prend dans ses bras et nous sommes déjà l'un dans l'autre avant d'avoir rejoint notre lit. Le lendemain, au petit déjeuner, nous discutons longuement de la suite des événements.

– Avec les socialistes au pouvoir, je serai moins incisif.

Pourtant, j'avais vu son bonheur ce 8 mai 81, le jour de l'avènement de Mitterrand. Mais il sait que son humour n'est jamais aussi corrosif que quand il prend pour cible ses vrais ennemis. Et ceux-ci demeureront à droite.

– Reste que... ça ne t'a pas vraiment fait du bien, sur le plan de la notoriété, ce passage au journal du PC. Parce que tu as déçu des gens qui avaient cru en toi.

– Je ne regrette rien !

Soudain, me revient en mémoire un voyage au pays de ses origines : la Pologne. Le guide qui nous avait accueillis avec, dès le matin, quelques verres dans le nez, portait une barbe, un bonnet et des baskets. En 68, il était étudiant à la Sorbonne et révolutionnaire. Les dessins publiés dans le journal *L'Enragé* l'avaient fasciné. Il vouait une réelle admiration au dessinateur qu'était l'homme que j'avais rencontré à cette même époque. A son retour en Pologne, dans un pays où tous les écrous avaient été resserrés par l'URSS, où le goût même de la liberté était impensable et l'idée de révolte réprimée, ce soixante-huitard polonais s'était senti trahi en apprenant, à la lecture des journaux français, l'entrée de son dessinateur de presse préféré au journal-tribune du parti communiste français. Sa déception était immense. Sachant qu'une invitation nous avait été lancée par le gouvernement soviéto-polonais, il avait demandé à jouer les guides. Avec un seul objectif : comprendre.

Quinze jours durant il nous accompagna d'un bout à l'autre du pays. Il n'obtint aucune explication, sinon quelques ricanements à son égard.

– Comment tu fais pour continuer à vivre avec lui ? me questionna-t-il. Moi, je ne supporterais pas. C'est trop grave de trahir.

– Tout dépend pourquoi on trahit ! lui répondis-je.

Je me souviens très bien de la raison pour laquelle j'avais fait cette réponse à notre guide. L'homme que j'aimais s'était trompé par amitié. Par sens de l'amitié. Par sens de la fidélité.

En 1997, à la sortie, aux éditions Robert Laffont, du *Livre noir du communisme*, une somme énorme, la première sur le recensement des crimes et la répression sous le communisme, l'éditeur lui fit parvenir le livre avec un mot dans lequel il lui écrivait qu'il avait eu tort simplement par amitié. « Je suis du côté de mes amis, surtout quand ils ont tort », dit-il.

Malraux, cet autre compagnon passager du communisme, l'avait écrit avant lui. Je ne sais pas si c'est vraiment une phrase honorable.

Quelques mois plus tard, il dessinait l'édito du *Nouvel Observateur*.

Serait-ce le temps qui révélerait s'il y a ou non amour ? Nous avions fêté nos dix ans de mariage et il était devenu indispensable à ma vie. Lui, avait affirmé dans sa *Lettre ouverte à ma femme*, que, sans moi, il serait gros, sale et alcoolique. Bof ! Sans intérêt ! Je préférais les premières lignes de son dernier chapitre : « Pourquoi ai-je écrit cette lettre ouverte ? Sans doute parce que j'ai atteint l'âge où l'on aime faire le point. Je ne suis plus jeune. Je ne suis pas vieux. Il me reste pas mal de belles années dont je compte bien profiter autant que je pourrai. Tu es inséparable de ces années, et j'en suis fort heureux. »

Il ajoutait : « Si tu étais un peu plus hypocrite, comédienne et soumise comme la plupart des femmes sont obligées de l'être, cela me faciliterait l'existence. »

Eh bien, non ! Je ne le serai jamais... soumise !

En revanche, soumise, Patricia, l'était une fois de plus. Une seconde fois.

Après son divorce, elle avait vécu deux expériences enthousiasmantes, l'une avec un médecin marocain, l'autre avec un Africain, deux années de « légèreté », comme elle précisait. Pour une raison mal définie, elle avait réédité l'expérience du mariage. Plus par défi, expliquait-elle, que par amour. Son nouveau compagnon, aussi tordu que l'ex-mari, avait été le témoin de la première union. Il avait longtemps courtisé mon amie et était revenu en force sitôt le divorce demandé. Ensuite, il ne l'avait plus lâchée.

– Je ne suis responsable de rien dans cette histoire, avançait-elle. C'est lui qui a tout fait pour m'épouser. Je ne l'ai pas choisi.

N'avait-elle pas dit « oui » ?

– Je n'étais pas amoureuse de lui, mais amoureuse de l'amour, avoua-t-elle.

Comment cette femme brillante dans sa vie professionnelle, dirigeant à trente-quatre ans un service de pédiatrie, pouvait-elle, dans sa vie privée, se conduire avec autant de naïveté ? Je n'ai pas de réponse.

Seconde déception. Le fiancé qu'elle avait désiré, même si elle ne l'avait pas élu, s'était transformé en un époux odieux. « Égoïste, nombriliste, pervers et manipulateur », ainsi brossait-elle son portrait. Elle prétextait qu'elle n'aurait pu deviner cette métamorphose. Je pensais, moi, qu'elle portait en elle le sale goût de l'échec qui fait que, rarement, on parvient à en guérir.

Un soir, quelqu'un de son service m'appela : elle venait d'être hospitalisée pour une grossesse extra-utérine. L'intervention aurait lieu le lendemain. Je me rendis aussitôt auprès d'elle. Nous ne fûmes pas longtemps seules. L'homme entra bruyamment dans la chambre, je la vis blêmir. Elle fit rapidement les présentations. Au regard ironique qu'il posa sur moi, je compris que je n'avais pas l'heur de lui plaire. Très engagé politiquement à gauche de la gauche, sans doute me reprochait-il, en bon machiste, les trahisons politiques de mon mari. Même si celui-ci s'impliquait maintenant dans une version pleinement socialiste, beaucoup l'arrimaient encore au PC.

Grand et massif, arpentant la pièce de long en large, j'avais le sentiment qu'il occupait tout l'espace. Soudain, il frappa sur la table.

– Rendez-vous compte, elle n'est même pas capable de mettre au monde un enfant !

Une plainte s'échappa des lèvres de Patricia. Elle se laissa glisser sous les draps, au fond du lit où elle disparut. Je m'étais précipitée vers elle, tandis que l'homme nous regardait, avec dans le regard la haine et la concupiscence du chasseur. Par chance, une infirmière pénétra dans la chambre pour des examens et nous pria de sortir. J'embrassai ma pauvre amie et me sauvai sans avoir salué le malotru.

La scène m'avait bouleversée. Patricia mettrait du temps à effacer cet épisode de sa mémoire. Elle ne l'effacerait jamais. Comme Violette, une petite protégée d'une vingtaine d'années que j'avais logée dans ma chambre de bonne, le temps d'un procès exemplaire où furent condamnés ses bourreaux. Chacun leur tour, ils avaient violé cette ancienne camarade d'école, de la petite bourgade des Pyrénées où ils étaient tous nés. Patricia, comme Violette, ne sortirait pas indemne de son histoire. Patricia, Violette et tant d'autres. Par exemple, Catherine, déstabilisée par la fidélité et la haine qu'elle vouait en même temps à son époux. Il avait été élu député, elle continuait à être son bras droit, « sa doublure », comme elle l'affirmait : « Une doublure dont on n'évaluait pas la présence et l'importance. » De cette collaboration professionnelle, elle ne souhaitait pas se satisfaire. Elle voulait aussi occuper la place qui lui était due dans la vie privée de cet homme politique si séduisant, qui ne cherchait à séduire que lui-même et ses électeurs. Elle se sentait dans le « dérangement », et ne s'en accommodait plus. Lui, comme nombre d'hommes, se complaisait dans l'« arrangement ».

Tenez, encore, Marie, sociologue, rencontrée lors d'une réunion organisée autour de Betty Friedan, tête de file du féminisme américain, de passage à Paris pour la sortie d'un ouvrage. Marie dont je fais la connaissance et qui, au cours de la conversation, s'interroge sur la façon dont elle conduit sa vie sentimentale.

– Était-ce de l'ordre du sacrifice ou du défi, ce que j'ai vécu jusqu'à maintenant ?

Marie avait épousé un homme « brillantissime », pour lequel elle avait eu d'emblée une grande admiration intellectuelle. Il était encore étudiant quand ils s'étaient rencontrés, un étudiant tendu vers la réussite universitaire. Comme le mari de Catherine l'était dans le domaine de la politique. Des hommes qui demeureront toujours absents de l'amour.

Tandis qu'il prépare sa thèse, Marie interrompt ses études et accepte un poste d'enseignante. Lui, décide qu'ils auront un enfant. Le bébé arrive, il s'engouffre dans une grave crise d'identité. Elle l'assiste complètement ; l'aide à passer ses examens, lui sert d'analyste, s'occupe de l'enfant et de la maison, rapporte l'argent du ménage et continue à l'admirer. Elle sait aussi qu'elle a signé « son arrêt de mort ». Dès la réussite conquise, et malgré le second enfant qui naît, il s'en est allé aimer et se faire admirer ailleurs.

Elle en était là, Marie, quand nous nous sommes rencontrées. Dans ce flottement, où toute décision est si difficile à prendre. « L'amour, ce n'est pas la maternité ! disait-elle. A l'avenir, je le saurai. » Cela signifiait qu'elle en avait assez de materner un homme.

Marie avait cherché en vain une oreille attentive et des conseils auprès de sa mère. Celle-ci l'avait condamnée d'avance à la solitude si elle se séparait de son brillant universitaire. Quand elle m'avait confié la réaction de sa mère et fait quelques confidences sur leurs relations difficiles, je me rappelai les propos de Catherine, qui, auprès de sa mère, avait connu une identique désillusion.

De ces plaintes, de ces souvenirs, de ces confidences, de mes observations sur les hommes et les femmes et les rapports qu'ils entretenaient, je bâtis une fiction qui devint un roman. Mon premier roman.

Désormais, je voyais la vie sous un autre angle. Je n'observais plus uniquement pour comprendre, mais pour témoigner. De surcroît, l'écriture me servait d'exutoire. Pour paraphraser Flaubert : la feuille blanche était là, et je me soulageais. Quand j'achevai ce premier manuscrit, je m'aperçus qu'à travers l'observation des autres je parlais de moi. Parler de soi, voilà qui m'avait toujours intéressée. A travers le miroir de la société, cela me paraissait plus facile. Après plusieurs ouvrages, j'ai compris que je ne pouvais pas parler d'autre chose. Et moi, c'était lui.

Lui, justement, au long de l'élaboration du travail, n'avait cessé de m'encourager.

Émergeant d'une existence où lui seul portait le titre de créateur, et où j'avais souvent eu tendance à perdre toute foi en ma propre valeur, le besoin de m'interroger sur sa réaction s'imposa à moi. Allait-il savoir vivre dans l'arrangement d'une situation dont la configuration récente, insolite et insoupçonnée, risquait de changer la donne ? Ou bien allais-je me colleter avec un nouvel ennemi ? En simultané, je jouais amour et avenir.

La question ne se posa même pas. Dès la première lecture qu'il fit de mon manuscrit, il se montra convaincu et conquis. Il décida que j'étais une romancière et que c'était vers cette voie que je devais me tourner. Après la publication, la fierté avec laquelle il annonçait aux amis, aux proches, les critiques et les réactions obtenues fut, pour moi, l'une des plus belles preuves d'amour qu'il pût me donner. Il affirmait que le succès acquis apportait un équilibre, neuf et inédit, à notre couple. Un succès que nous allions partager. Sa propre notoriété paraissait déjà bien installée. Ainsi traversait-il une période où, particulièrement sollicité, il enchaînait sorties de livres, de films, de campagnes de publicité. Le succès de l'un valoriserait celui de l'autre. Voilà quel était son état d'esprit.

« Partager », c'est son désir à lui, à chaque épisode de l'existence. Partager les meilleurs moments de l'existence. En revanche, il préfère tenir secrets, s'en accommoder ou pas, les soucis, les baisses de moral ou de tonus, les interrogations qui donnent lieu à des ennuis divers. Une chose est sûre, il ne jouera pas les contemplatifs devant ses malheurs. Ce n'est pas son genre de se délecter de douleurs et de noirceurs. Il lit Cioran pour le haïr.

Parfois, sa générosité me bouleverse. Il ne peut être heureux que si je le suis. Ne serait-il pas beaucoup plus juif qu'il ne le pense, lui qui se défend d'appartenir à une quelconque origine ? Dans son dernier ouvrage, *Les Juifs et l'Argent*, Jacques Attali a fouillé les premiers textes du judaïsme et cite Salomon, dans un discours datant du dixième siècle avant notre ère : « Le peuple juif ne doit s'enrichir que pour enrichir les autres ; il ne peut être heureux que si ceux qui l'entourent le sont. »

Je le suis, heureuse, le vendredi soir où l'animateur d'une célèbre émission littéraire m'invite à parler de ce premier roman. Je meurs d'angoisse et en même temps de bonheur. Il m'accompagne, s'assoit auprès d'amis chers dans les gradins de la salle. Sa présence m'apporte un peu de sérénité dans ce petit enfer de l'attente où domine le souci de la réussite. Le regard qu'il pose sur moi, tout au long de l'émission, me protège. Cet homme est bien l'homme de ma vie. Il y a, comme cela, des évidences. A certaines occasions, elles vous sautent aux yeux. Tandis que l'animateur m'interroge, c'est à lui que je pense, à la chance que j'ai eue de croiser sa route. Au chemin qui nous reste à parcourir, l'un près de l'autre. Devant les caméras, je manque de répartie, en revanche, je déborde d'euphorie et de désir. Le septième ciel, une fois encore, reconquis.

L'histoire ne nous échappe pas. Elle rebondit. Sans incises. Sans digressions. Sans empoignades. Cette authenticité, souvent, m'épate, me pétrifie. J'ai le même regard, la même jeunesse que la petite jeune fille blonde d'avant-hier. Le bonheur serait-il une cure de jouvence ?

Pour le fêter, quelque temps plus tard, nous organisons un dîner où nous décidons de réunir quelques amis.

Quinze jours plus tôt, quand je parle avec Marie de ce dîner, elle est sous le charme d'un immense coup de foudre qui a balayé sa mauvaise mine et éclairé son regard. L'homme est un grand reporter, brillant, séduisant, séducteur et amoureux. Ce dont Marie a besoin pour compenser l'état de crise qu'elle vit au sein de son couple. Le bonheur tout frais lui donne des ailes et de l'audace. Elle me demande de lui accorder une faveur : venir à notre dîner, accompagnée de son mari et de celui qui n'est pas encore son amant, mais risque de le devenir. Bien sûr, j'accepte. A tout hasard, j'avertis mon amoureux et lui raconte mon entrevue avec Marie. Il renâcle, ce n'est pas dans ses habitudes. Il remet l'affaire plusieurs fois dans la conversation. N'apprécie-t-il pas la personnalité de l'amant ?

– Que ce soit lui ou un autre, peu importe ! Je n'aime pas les amants !

– Un amant, c'est un homme comme les autres.

– Non ! C'est un homme avec une tête d'amant.

Cette fois, il ne plaisante pas. Pourtant, je choisis de faire le bonheur de Marie.

Autour de notre table, voisinent des amours contrariées. A commencer par Catherine, ma

Catherine, toujours dans l'attente de son député. Nous l'espérons une bonne heure avant de passer à table. Il appelle et affirme qu'il arrive. Nous passons au plat suivant quand le téléphone sonne à nouveau : « Finalement, il ne viendra pas, annonce Catherine, sous prétexte qu'il ne peut pas quitter la séance, à la Chambre. » A chaque sonnerie, elle est encore plus fiévreuse, elle triture son visage pour soulager l'irritation que génère un eczéma qui, de ponctuel, est devenu récurrent.

Marie m'attire à l'écart pour me confier la dernière sortie de son fils aîné, dix ans : « Maman, papa, il t'aime pas ! » J'essuie la larme qui coule sur sa joue.

– Pense à ton coup de foudre et à rien d'autre ! lui dis-je.

Ida, journaliste, mariée à un écrivain depuis quinze ans, lance quelques traits de son humour incisif, mais je vois bien qu'elle affiche une tristesse infinie. L'« écrivain » n'a eu durant le dîner ni un regard ni un geste de tendresse, pas la moindre attention pour elle. A qui s'intéresse-t-il en dehors de son nombril et de sa réussite ? Peu de temps après, Ida s'enfuira loin de cette liaison que, désormais, elle exècre.

Anne, femme d'éditeur et éditrice elle-même, une beauté parfaite, pure, fraîche, et l'élégance qu'il faut pour faire une vraie Parisienne, subit tout au long de la soirée les assauts répétés et odieux d'un mari imbu de sa supériorité, à propos de la carrière qu'elle entend mener au sein de l'édition. Que de couleuvres avalées ! Que de sentiments bafoués ! Que de vies souillées !

Lui, tranquille, son cigare à la commissure de la lèvre, les yeux légèrement rétrécis par l'alcool, écoute, mais n'entend rien, observe, mais ne voit rien. Et quand il se mêle à la conversation, c'est souvent pour parler de moi, mettre en valeur mon travail, un trait de ma personnalité qu'il dévoile. Avec toujours un dosage savant d'humour et d'amour.

Quinze ans plus tard, je ne pourrais pas rassembler les mêmes convives. Tous, à l'exception de l'un des couples, ont changé, une ou plusieurs fois de partenaires. Ont composé, décomposé, recomposé des familles, fait des sœurs et des frères à des enfants installés parfois dans la dérive. Sont-ils pour autant plus heureux ?

- J'existe dans le regard d'un autre, dit aujourd'hui Marie qui a enfin découvert le bonheur. Ça donne confiance !

Comme elle a raison ! Sans le miroir de « ses » yeux, je serais une autre.

Les quelque dix mille exemplaires vendus de mon roman, les encouragements de la critique et le soutien et l'exhortation d'une directrice littéraire exigeante et efficace, ainsi que celui de mon dessinateur amoureux, m'incitèrent à poursuivre ce chemin de l'écriture. J'entrepris un second roman.

– Je vis avec une romancière, disait-il fièrement. Une romancière qui tue ses héros en fin d'histoire. Que fait-elle des hommes ? Elle les tue !

Riait-il jaune ?

La question m'avait été posée par Patricia. Je ne lui avais pas apporté de réponse dans la mesure où, personnellement, elle ne m'était pas venue à l'esprit. Peut-être devrais-je comprendre d'abord pourquoi je tuais mes héros.

Les hommes ? Je les avais oubliés.

Il avait su occuper l'espace. Je ne l'avais jamais quitté, sinon pour quelques brefs reportages. J'avais joué les accompagnatrices fidèles en le suivant dans ses voyages. Dans ce sens-là, la permanence et la fixité que nous expérimentions n'étaient pas une illusion. Pourtant, comme je l'ai démontré, je n'avais cessé de basculer dans l'inconstance de mes sentiments et de mon désir, en fonction des « ennemis » rencontrés sur notre parcours et que, pour la plupart, j'avais jugés dérisoires.

Dire que nous vivions une histoire d'amour exprimait certes une réalité, avec une sorte de raccourci qui n'incluait pas les fluctuations de mes sentiments et de mes émotions, mes irritations, mes lassitudes, voire mes indifférences. Mes intermittences. Et bien sûr, les siennes. Les ellipses devraient être moins fréquentes dans le récit que l'on tire de son vécu. Or, c'est ainsi, et nous n'en sommes pas responsables. La manière elliptique et hypocrite d'enregistrer les événements juxtaposés n'a-t-elle pas plus de charme ?

Comblée par notre relation, l'idée d'une autre aventure amoureuse ne m'avait pas effleurée. Y aurais-je songé que le mauvais exemple de mes amies proches et de bien d'autres femmes que je pouvais croiser m'en aurait découragée.

Elles multipliaient des expériences cauchemardesques, auprès d'hommes immatures, légers, égoïstes, inconséquents, rapiats, sordides et mauvais baiseurs. L'un ou l'autre ou tout à la fois. Au choix. Les liaisons se résolvaient soit par des séparations, soit par des accommodements dangereux. Où se cachaient les autres hommes, ceux qui n'avaient pas ces immondes défauts ?

– Un soir, un amant m'a demandé de le noter, raconte Patricia. Il n'a pas été déçu du voyage !

« Bien au-dessous de la moyenne ! » lui avait-elle répondu. Étonné et pâlissant, il avait renchéri que c'était la première fois qu'une femme osait se plaindre.

« Osait » ! Le problème était bien là.

En plus de quinze ans de vie commune, je n'avais pas vraiment ouvert les yeux sur les hommes qui m'avaient côtoyée dans l'espace de la vie professionnelle et de la vie privée. Ils restaient des visages entrevus, des bribes de conversations plus ou moins passionnantes, parfois des instants de souvenirs aussitôt effacés de ma mémoire. Ils ne pénétraient pas la sphère de l'émotion, entièrement captée par lui.

Cela signifiait-il que mon amour restait au beau fixe et ne connaissait pas le déclin ? En conséquence, les fluctuations demeuraient, comme les ennemis, dérisoires !

Soudain, dès lors que j'avais commis ce roman et connu un petit succès, les regards posés sur moi prenaient une coloration différente. Patricia, la première, m'en avait fait la remarque.

Son second divorce venait d'être prononcé. Pour acheter une nouvelle fois sa liberté, elle avait payé les impôts de ce conjoint qui, à part des dettes, ne lui avait décidément rien apporté. Elle m'avouait souffrir de manière permanente, même au chevet de ses petits patients malades. Rien ne pouvait lui faire oublier les monstruosités vécues auprès des deux hommes qui l'avaient accompagnée ces dernières années. Son apparence extérieure ne le laissait pas supposer. Patricia, comédienne hors pair, savait donner le change. Était-ce une qualité ou une faiblesse ?

– J'ai, en moi, un très grand désir de vengeance, affirmait-elle. J'en ai assez, avec les hommes, de faire toujours une croix sur quelque chose, soit le sexe, soit l'intellect, soit la séduction. De ne jamais être sur la même longueur d'onde.

Dans ces conditions d'exigence et d'exaspération, je craignais pour ses prochaines amours. En attendant, elle portait un œil attentif de chasseuse sur les profils masculins. Ainsi, avait-elle eu l'occasion de repérer et de considérer avec amitié le changement de comportement opéré à mon égard. Sans elle, aurais-je prêté attention à l'événement ?

Un souvenir avait traversé ma mémoire, me laissant songeuse. C'était à l'époque de mon engagement féministe militant. Après avoir prôné la liberté de la contraception, j'avais eu l'impression, une fois de plus, d'avoir été flouée. Car la contraception, nous l'assumions seules, nous les femmes. Quelques chercheurs travaillaient vaguement sur une idée de contraception masculine et nous en restions là. A défaut de pilule pour hommes, les Hollandaises, les premières, s'étaient battues pour convaincre leurs partenaires de se faire stériliser. Certaines y étaient parvenues. D'emblée, la solution m'avait séduite. Un matin, au petit déjeuner, j'amenai la conversation sur le sujet. Il fut surpris de la suggestion, étant donné la radicalité de l'opération considérée comme une mutilation volontaire, cependant, sa curiosité avait été aiguisée et il ne rejeta pas l'idée. Les jours passèrent, il n'en fit rien. Selon lui, je lui aurais coupé l'envie de « jouer les héros » en affirmant vouloir, moi aussi, subir une stérilisation. Il s'y opposa.

– Si je le fais moi, cela ne suffit pas ?

– Crois-tu que tu aies l'exclusivité sur moi ? avais-je répondu. Je veux être libre.

Il a suffi d'une carte de visite, glissée dans un bouquet de roses adressé en remerciement d'un dîner, pour que je prenne conscience que je n'intéressais pas que lui. Que d'autres hommes, comme, par exemple, l'auteur de la carte, étaient tombés amoureux.

« Je souhaiterais tant vous exprimer, de vive voix, les sentiments que je porte en moi, à votre égard. »

C'était clair ! Qu'allais-je en faire ? Verser dans l'exotisme de l'inconnu ? Repartir à la conquête d'un rêve, source d'illusions et de désillusions ? Recréer du romanesque dans le romanesque ? Ces interrogations prouvaient que l'énergie me faisait déjà défaut.

Il y a un certain confort à partager l'existence d'un être comme lui, dont j'avais le sentiment que je n'épuiserais jamais le sujet dans son intégralité. Je persévérerais aux frontières de l'inconnu du presque connu, mais jamais vraiment décrypté. Cette distance qui existait entre nous provoquait des retrouvailles perpétuelles au cours desquelles les corps ne se perdaient pas, même s'ils ne cessaient de se rejoindre.

Décidément, il tenait une place considérable.

Cependant, à partir de ce jour, j'éprouvai un certain plaisir à décaler mon regard sur lui et à jouer avec des émotions contradictoires.

Résultat du jeu : aussitôt, les « ennemis » sont réapparus. Je ne le voyais plus qu'à travers le prisme de ses défauts et celui de mes ressentiments. Je ne supportais plus qu'il soit assis d'une certaine façon, le corps rendu mou par une mauvaise position ; je ne supportais plus qu'il écorche les mots, les traite grammaticalement à sa sauce personnelle ; je ne supportais plus qu'il boive de l'alcool parce qu'il n'était plus lui ; je ne supportais plus qu'il mange mal, c'est-à-dire trop gras, trop sucré, parce que sa panse prenait de l'ampleur, je ne supportais plus qu'il porte sur moi un regard concupiscent ; je ne supportais plus de me livrer à ses fantasmes ; je ne supportais plus...

J'avais entrouvert la porte du possible. Voire du faisable.

A ce moment-là, un homme est entré dans notre vie.

Il s'appelait Pierre. On le disait brillant.

« J'ai lu votre roman que j'ai beaucoup apprécié. Pourrions-nous nous rencontrer, déjeuner ensemble par exemple... Le plus tôt possible serait le mieux pour moi. Près de l'hôpital, si vous avez le temps de vous déplacer. »

Il avait rédigé ces quelques lignes sur une feuille à en-tête de l'hôpital où il consultait au service de gériatrie. Je lus le mot plusieurs fois avant de me décider à joindre son auteur. Au téléphone, le timbre chaud de sa voix me saisit. Il me raconta qu'il connaissait Patricia. Un jour, alors qu'ils déjeunaient ensemble, elle lui avait parlé de nous, « ses chers amis ». Il précisa qu'il savourait, depuis longtemps, les ouvrages de mon mari, l'humoriste, mais avait voulu connaître celui de la romancière. Il n'avait pas été déçu par sa lecture.

L'histoire commence ici.

Nous déjeunâmes. Je fus séduite par son intelligence et l'air décalé qu'il cherchait à plaquer sur sa vie – ou peut-être tout simplement, voulait-il donner le change –, la passion et la générosité qu'il mettait dans l'exercice de sa profession. J'appris qu'il n'avait aucune attache, un homme seul, libre, avec juste une mère légèrement possessive qui lui servait de cobaye dans l'exercice de son métier de gériatre et gérontologue.

Après le déjeuner, nous marchâmes une bonne heure sans nous préoccuper du temps. Nous ne partagions qu'un seul souci, celui de nous écouter. Ou plutôt : de l'écouter. Il ne semblait pas pressé de retourner à l'hôpital et me raccompagna jusqu'à mon domicile. Puis, nous nous quittâmes après nous être sagement embrassés. Au passage, sa main avait effleuré mon sein. Vingt-quatre heures durant, je n'ai pensé qu'à lui, aux pensées et aux désirs qu'il venait d'introduire en moi.

Puis je partis en province pour la promotion de mon roman, et les pensées s'évanouirent. Elles n'avaient été qu'un joyeux vagabondage. Je l'oubliai.

Pierre réapparut. Un soir, il sonna à la porte de notre appartement. Je n'étais pas disponible et mon mari lui ouvrit. Pierre se présenta comme étant un ami. En mon absence, ils commencèrent à discuter de choses et d'autres et finalement, l'entente semblant cordiale, quand je me présentai dans l'atelier, j'appris que Pierre partagerait notre dîner.

Son audace me séduisit mais me déplut. Je n'appréciais pas qu'il se soit introduit dans notre sacro-saint couple, risquant de brouiller les cartes, de créer une confusion que je n'avais pas préméditée, de générer surtout l'histoire d'une histoire qui n'avait pas commencé. Qui n'aurait ni début ni fin. Je le prédisais, puisque cette manipulation me dérangeait.

Pourtant, sitôt la surprise passée, je goûtai les quelques premières heures que nous vécûmes ensemble. Tous deux rivalisaient d'esprit et d'intelligence. L'humour tendance carabin que pratiquait ce séduisant blond, derrière son regard déroutant, rappelait à l'homme de ma vie des souvenirs, quand, étudiant aux Beaux-Arts, il décorait les murs tristes des salles de garde.

Ainsi, nous fîmes un tour rapide dans leur passé. Le jeune étudiant de 68, qui voulait embrasser la carrière médicale, s'était passionné pour l'ironie incisive et provocatrice de l'humoriste de *L'Enragé*. Il titilla le quadra épris de communisme, précisant qu'il avait toujours cru à une farce, et remercia le quinquagénaire épanoui pour ses réflexions brûlantes sur la société, la politique et les femmes. Un chapitre que je n'avais guère envie d'aborder, les sentant tous deux prêts à être plus féroces que tendres. Je me cantonnais dans un rôle passif, fascinée par l'inconnu de la situation. L'inconnu tout court. L'étranger prenait le pas sur l'intime.

A un moment, le ton de la soirée a changé.

– Dire que la plupart des gens meurent sans mourir d'amour ! s'exclama, avec une infinie tristesse dans la voix, l'homme qui était encore mon amour, mais s'imaginait soudain qu'une page de sa vie venait de se tourner.

Avait-il saisi dans la conversation des mots, des intonations, des gestes ou des sourires qui auraient pu lui suggérer quelque ébauche de flirt ?

Il se leva, vérifia l'heure à sa montre – ce qu'il fait sans cesse quand il porte une montre, il n'a pas tort, le temps nous est vraiment compté –, décida qu'il était fort tard et tira sa révérence. Je crus que notre ami allait en faire autant. Je me trompais. Il remplit à nouveau son verre. Je tournais en rond dans la pièce sans trouver de sujet de conversation possible, non équivoque, et qui ne nous entraînerait pas au-delà d'une heure avancée. Mes neurones, sollicités par un embrouillamini de sentiments contradictoires, ne m'apportèrent aucune aide. Et lui non plus. Il savourait la situation qu'il venait d'instaurer. Je m'emparais de la bouteille quand il effleura la paume de ma main. Ou plutôt, j'eus l'impression qu'il l'avait effleurée, en fait c'était la mienne qui avait touché la sienne. Que cherchais-je ? Des signes pour savoir ses intentions à mon égard ? Si son désir correspondait au mien ?

– Je suis désolé, mais je dois partir, dit-il. Demain, je commence tôt. On se voit dans l'après-midi, pour un verre ?

Il enfila un anorak qu'il avait posé en entrant sur un canapé, et se dirigea vers la porte. Je ne crois pas lui avoir répondu.

Pendant que je rangeais le désordre de la salle à manger, j'eus très vite le sentiment que ce garçon provoquait en moi les mêmes craintes que celles que j'avais rencontrées au début de ma liaison avec celui qui allait devenir mon compagnon de route.

La petite jeune fille blonde avait un clone qui survivait en moi, prêt à se soumettre aux désirs de cet inconnu. A son intelligence, son talent et sa provocation.

Je le savais, je ne possédais pas les ressources intérieures suffisantes pour être capable de renouveler une histoire identique à la précédente, de repartir sur un chemin sans traces ou bien de me contenter d'une histoire à quart-temps, de mettre bout à bout des minutes passées ensemble qui se transformeraient en petites arithmétiques minimalistes, de brouiller ma relation avec mon mari, et de mettre à l'écart ou en veille la voie vers laquelle je me dirigeais, celle de l'écriture ; aussi, je décidai de tuer le clone dans l'œuf.

Je m'exécutai. Je crus l'affaire réglée.

Quelques jours plus tard, je compris qu'elle ne l'était pour aucun de nous trois.

Avec mes simplifications hâtives et naïves, dont je me découvrais coutumière, et par une alchimie que je n'avais pas su maîtriser, je transformais du bonheur en malheur. Rien de mieux ! Nous n'étions plus commandés par la raison, mais par la passion.

Lui, d'abord. Il paraissait désespéré de me croire happée par l'intrus. J'avais le sentiment qu'il était conscient d'avoir une certaine part de responsabilité dans cette affaire. Quand une porte est ouverte, c'est que quelqu'un ou quelqu'une a éprouvé un besoin irrépressible de l'ouvrir. C'est-à-dire de fuir. Il se débattait pour exister, malgré le malaise qui nous enserrait, à ce croisement de notre histoire, et se plaignait de mes silences et des distances qu'il pensait que j'introduisais entre nous. Un processus de désintéressement de l'un pour l'autre, voire de détachement, se mettait en route. Pourrions-nous tenter quelque chose pour l'arrêter à temps ? Difficile. L'état de crise déclenché, la communication semblait rompue. Ce qui faisait le charme de notre entente avait disparu : les débats d'idées, les réflexions communes, les conseils, les petits mots tendres abandonnés sur les bureaux, ceux laissés dans l'entrée quand l'un ou l'autre s'absentait et les silences complices. Une sorte de terrorisme de récupération s'insinuait dans notre relation : nous éprouvions le besoin d'agir contre nous-mêmes et, en même temps, nous portions en nous la certitude que toute décision ne servirait à rien. Notre seul et unique adversaire : la passion de notre nouvel ami.

Frustré par une défaite qu'il crut évidente, mon compagnon cessa de chercher à me reconquérir, puisqu'il me pensait perdue, et s'encanailla ailleurs, au pays de la facilité et du frisson où l'angoisse de la conquête n'existe pas.

Pierre, lui, joua à perdre ses repères dans les fils entremêlés de l'amour pour celle que l'on convoite et la haine pour celle qui est déjà prise, et compte bien le rester, tout en ne sachant pas ce que l'avenir et les sentiments nous réservent. Je croyais sa passion totale, infinie, dévorante. Lui, prônait avec cynisme l'ajustement harmonieux des destins, à condition de se limiter aux marges de la vie. Au-delà de l'espace professionnel, il n'y avait point de don. Il préférait la fiction, l'extravagance de ses illusions à la pâleur de la vérité, « cette intruse mesquine et haïssable ». Une réalité s'imposait : il exerçait sur la gent féminine qu'il séduisait un cynisme déconcertant et dévastateur. Face à la vie, il demeurait un joueur aveugle et fier de l'être. Chacun cherche son diable. Je l'avais trouvé, et me colleter à lui me paraissait plus périlleux que de gravir l'Himalaya.

Manipulée par la passion de Pierre et le désordre de ma relation avec mon mari, je rusais avec moi-même, me persuadant que personne ne m'avait volé mon désir, mes sentiments et ma sérénité. Tout cela était faux. Plus le temps passait, plus je plongeais dans l'ambiguïté d'une vie où les journées se transformaient en un chapelet de minutes frustrantes. Où, alors que les mailles du filet se resserraient, le temps consacré au travail se rétrécissait. Les petits plaisirs, qui ornent et font le cours des journées, s'écourtaient. Le navire n'était plus tenu à l'ancre qui avait dérapé. Sans amarres, il dérivait. Dans un premier temps, cette existence flottante m'avait excitée, je m'y sentais à l'aise. Elle avait un goût de grandes vacances exquises. Puis, elle devint troublante. En même temps, je me laissais porter par la vague. Au lieu d'agir, je me masturbais l'esprit pour répondre à toutes sortes d'interrogations inutiles. Comment lutter contre le déplacement du regard, du désir, du sentiment ?

J'avais appelé trois fois le service de Pierre à l'hôpital et, par trois fois, la secrétaire m'avait prévenue que le docteur R. ne pouvait pas me parler. Le désir déconnecte de la raison. J'enfilai un manteau et partis dans la direction de l'hôpital.

Depuis le début de la matinée, il était au chevet d'un mourant. La secrétaire, une jolie fille brune avec des seins importants qui lui donnaient un air sensuel, m'accueillit dans son bureau, une pièce étroite et assez sombre, une sorte de couloir, où l'on avait posé une table, un téléphone, un classeur métallique, deux chaises et une plante verte.

– Le docteur m'a passé votre livre, dit-elle. Ça m'a vraiment plu ! C'est la femme, le personnage principal, qui m'a séduite. On a envie de savoir ce qu'elle va devenir une fois députée. Vous devriez écrire la suite.

Je la remerciai et pris place auprès d'elle. Elle ne paraissait pas surchargée de travail et, visiblement, elle avait envie de bavarder.

– Vous travaillez depuis longtemps avec le docteur ? lui demandai-je.

A ma question, son visage s'empourpra.

Puis, après quelques hésitations, elle ne s'arrêta plus. Elle se lança dans un récit en forme de confession, celui de sa fascination pour le gériatre.

– Vous me comprenez ? insista-t-elle, il est si séduisant.

Elle se tut. J'écoutai son silence qui ne dura pas.

– Séduisant, mais terrible !

– Pourquoi ? osai-je. Vous voulez dire professionnellement ?

– Non ! J'ai failli divorcer pour lui, heureusement, seulement « failli », répondit-elle. Il refuse toute attache. Il ne veut que prendre, comme ça, par jeu... Rien d'autre.

– Vous savez, il n'est pas le seul, dis-je, avec pour unique objectif de continuer à la faire parler.

– Oui, mais lui, quand on a goûté au plaisir avec lui, excusez-moi de vous dire ça qui est de l'ordre de l'intime, on n'a plus envie d'un autre homme.

– Et que fait votre mari ? questionnai-je.

– Jean est infirmier en psychiatrie. On

s'aimait bien jusqu'à ce que je rencontre mon patron.

– Qu'a-t-il donc de si particulier, votre patron ?

Elle rougit à nouveau.

– Avec lui, on n'est jamais déçue. D'abord, c'est son corps qui frappe. Il est vraiment beau, harmonieux. Ensuite, je ne sais pas comment dire, avant lui, je n'avais jamais éprouvé une telle sensation. Les autres à côté vous paraissent nuls. Ce fut le début des embrouilles dans mon couple, que j'ai fini par sauver, quand je me suis aperçue qu'en dehors du désir et du plaisir, rien n'était possible avec le docteur ! C'est un homme sans cœur !

– Vous continuez à avoir ce genre de rapports avec lui ? Bien qu'il n'ait pas de... cœur, comme vous dites ?

– Depuis quelque temps, il se montre distant. Deux mois que nous n'avons eu aucune relation. Je l'aime encore et il me fait souffrir.

– Pourquoi serait-il distant, à votre avis ?

– Je ne comprends pas. Peut-être, une autre femme... Faire l'amour avec lui me manque.

Des coups frappés à la porte mirent un

terme à cet échange. Une infirmière entra pour annoncer que le docteur restait au chevet de son patient, aussi fallait-il annuler les autres rendez-vous. Ce que fit la secrétaire dans l'instant. Je la quittai, la laissant à son travail.

– Je lui dirai que vous êtes passée ! fit-elle d'une voix plus légère.

Elle me parut comme groggy et excitée par le récit qu'elle venait de me livrer.

– Non ! Ce n'est pas la peine, dis-je.

Longeant des couloirs à la recherche de la sortie de l'hôpital, j'examinai deux solutions : continuer à aller au-devant de ce désir qui se présentait tel un monstre diabolique, avec en prime le paradis, ou prendre la vie à pleines mains, sans la lâcher, pour qu'elle ne dérive pas.

Je ne me sentis pas le courage de rentrer directement et décidai de passer chercher Catherine à l'Assemblée où, désormais, elle exerçait le métier d'assistante parlementaire auprès de son mari. Avec elle, je souhaitais me soulager de cette histoire trop lourde qui m'arrivait et, pour l'heure, me brûlait le sexe.

Derrière son bureau, Catherine était maquillée, élégante, décontractée, gaie et rieuse. Pas vraiment son genre. Je commençai à lui relater mes aventures, enfin ce que je pouvais en dire et qui déjà, me dépassait, parce que j'avais la crainte de ne pas savoir le maîtriser, elle m'interrompit sans tarder :

– Tu es complètement folle ! Dans quoi tu te fourres !

– La folie, ça a du bon parfois ! Elle peut être constructive. L'adultère, aussi, a du bon ! Ne me dis pas que c'est cela qui te choque ! Hommes et femmes, nous sommes maintenant égaux face à l'infidélité, tu le sais bien.

– Je ne suis pas d'accord ! Tu voulais, avec les femmes, créer de nouveaux codes, et tu vas imiter les hommes, vivre dans l'inconstance des sentiments ?

– Par moments, on n'a pas le choix : quelque part en soi, cette chose-là s'impose !

– Sans doute suis-je décalée par rapport à l'époque, mais je ne tromperai pas mon mari tant que le divorce ne sera pas prononcé ! C'est ma morale.

– Dommage ! Ça te ferait du bien, dis-je. Ton mari, où en est-il ?

Le regard de Catherine s'était brouillé de larmes. Il lui avait avoué qu'il ne l'aimait pas. Il ne l'avait jamais aimée, sinon comme partenaire politique.

– J'en ai assez de donner sans recevoir ! se plaignit-elle. Le respect mutuel, c'est le fondement de l'amour. Ton mari et toi, vous êtes dans ce respect mutuel, je t'en prie, ne gâche pas tout. Ne transgresse pas.

Elle avait raison. Ou tort.

Dans l'état actuel de mon histoire, j'étais comme Pierre, sans cœur. Le désir s'était substitué à l'amour, et le sexe au cœur. Je n'avais pas de cœur, cet organe imbécile et perturbateur, et je m'en félicitais. Sans cœur, j'éprouvais plus de liberté et de légèreté à vivre. J'étais même assez amnésique sur le passé avec mon dessinateur. Et je refusais, malgré les propos de Catherine, de revenir à la raison. Je voyais l'avenir en transparence et scindé en deux : d'une part la vie avec l'homme que j'aimais, d'autre part la vie avec celui que je désirais. Je jouais les fiers-à-bras, mais j'étais impatiente d'observer combien de temps je tiendrais dans l'unique désir, sans basculer dans le sentiment d'amour. Difficile de dissocier les deux. Alors, la situation deviendrait infernale.

En compagnie de Marie, que je sollicitais elle aussi, je tentai de dresser un bilan de ces derniers jours agités. M'écoutait-elle ? Elle continuait à être sous le choc de son coup de foudre.

– J'en suis très éprise. Le gagner pour moi toute seule, c'est le défi que je me lance !

Comme son mari avait pris quelque distance, Marie se révélait forte, déterminée à s'offrir une vraie vie privée amoureuse. Selon elle, ses enfants ne s'en porteraient que mieux.

– Ce médecin m'a l'air fascinant, affirma Marie, quand je lui eus parlé de ma rencontre. Moi, je me méfie de la fascination du sexe. La fascination du désir est, me semble-t-il, continua-t-elle, un phénomène très éphémère. Ce que je veux dire, c'est que ça ne remplit pas une vie.

Je n'avais pas l'intention de changer de vie. Juste m'abreuver à une autre source que celle du couple.

Quant à Patricia, elle ironisa :

– Tu veux écrire un second roman et tu cherches ton histoire, c'est cela !

Qui croit à une sorte de révélation que l'on rencontre à certains moments rares de sa vie ? Une porte s'ouvre et l'on est devant, comme un enfant face au sapin, un matin de Noël. C'était ce que j'avais le sentiment de vivre. Cette chose-là qui m'arrivait était beaucoup plus forte que les arguments déclinés par mes amies. A bord de moi-même, je n'avais plus la barre en main. En plus, je découvrais pour la première fois qu'en moi l'attrait du mal était plus fort que l'attrait du bien. Où était le mal, où était le bien ?

– Avec cet homme, qui est peut être un bon coup, enfin peut-être, soupira Patricia, tu comprends c'est si rare, un vrai coup... Avec cet homme, une histoire ne peut sentir que le soufre ! acheva-t-elle.

Que l'histoire sente le soufre n'était pas pour me déplaire ! Les plus belles histoires amoureuses de la littérature ne sont-elles pas plus sulfureuses les unes que les autres ? Je me replongeai dans la dernière que j'avais lue, quelque temps auparavant, avec tant de passion que je crus y trouver une sorte de justification. Il s'agissait du dernier roman de Benoîte Groult,

Les Vaisseaux du cœur, une passionnante histoire de cœur et de sexe, portée aux nues par des milliers de lectrices dans toute l'Europe. Des Françaises, des Italiennes, des Allemandes, des Hollandaises... en proie aux rêves les plus fous, après avoir lu l'aventure de Gauvain, le personnage de l'amant, homme de la mer tout en muscles et en sexe, plus que jamais ardent d'un bout à l'autre du roman, et de l'héroïne, prénommée « George sans s ». Sacrée Benoîte Groult ! Elle fait dire à sa George que « les sexes qui s'ennuient se plaisent ainsi à imaginer des jubilations inouïes ». « Les chers cons ! Il arrive qu'ils les trouvent. » George avait découvert, dans sa relation avec Gauvain, cette flamme qui fait « ressembler l'amour au contraire de la mort ». Une histoire tellement enthousiasmante qu'on avait envie de vivre ce même attachement des corps, et finalement des cœurs, qu'éprouvaient George et son Gauvain « aux lèvres arrogantes et au sexe indécent ». Les amants ont-ils tous des lèvres arrogantes, des sexes indécents et le pouvoir de nous faire rire à gorge déployée après nous avoir prises à corps déployé ?

Combien de femmes ont succombé à l'infidélité avec l'assentiment de la romancière ? Dans une relation où seul prime le sexe, le désir a un goût d'ailleurs, un goût de liberté que l'on n'a pas vraiment envie de laisser passer.

Les mois se transformant en années, l'humoriste, qui sait prendre de la distance, avait décidé de laisser passer la tourmente. En dépit de ses incartades et de ses petits jeux amoureux, ses sentiments à mon égard ne connaissaient pas de méandres. Pas une fois, je n'ai aperçu de déplacement dans son regard ou son désir.

– Je préfère aimer qu'être aimé, me dit-il un soir.

Nous avions dîné en compagnie de Patricia, d'un amant à elle, un beau métis qui semblait la combler, et de Pierre. Une fois de plus, avait-il perçu des altérations dans nos voix, nos regards, des signes de connivence ? En descendant de la voiture, il me prit dans ses bras et m'embrassa longuement dans le cou.

– Prendre une femme dans ses bras, ça paraît banal, mais à chaque fois, quand je te prends dans mes bras, c'est extraordinaire, c'est exceptionnel !

Une idée m'obséda, tandis que nous nous apprêtions à nous coucher : il aimait les femmes pour leur faire du bien, les conduire vers le bonheur. En revanche, Pierre désirait les femmes, plus pour le mal que pour le bien. Plus pour les faire pleurer que pour déclencher leurs rires. Ne l'affirmait-il pas quand, me parlant de la secrétaire du bureau, la brune, sans savoir que nous avions eu une conversation ensemble, il avouait qu'elle était bien plus jolie quand il la torturait pour la faire pleurer ?

– J'aime les larmes des femmes ! affirmait-il.

Il éprouvait le besoin de toujours rabaisser sa partenaire. C'était sa façon à lui d'exister, de se valoriser. De désirer. Mon amoureux de mari, au contraire de Pierre, portait aux nues, admirait, mettait en valeur, aimait sa partenaire, même s'il ne pouvait s'empêcher de la transformer en objet dans l'acte d'amour. C'était moins difficile à supporter, après un traitement de faveur.

Je m'endormis en pensant qu'il n'existait pas de solution : l'homme et la femme appartenaient à deux planètes bien distinctes. Si l'on voulait se croiser, encore fallait-il s'accommoder de cet état de fait et des arrangements qui l'accompagnaient.

Cependant, une évidence me sautait aux yeux : une femme réduite à être un objet de désir craint encore aujourd'hui – ce ne sera plus le cas demain – de voir approcher le moment où elle ne sera plus convoitée. Où, si elle n'y prête garde, les années lui voleront ce charme qui fait que les hommes la désirent. Les femmes de ma génération bouleverseront les mentalités.

Je cherchais une occasion pour fuir de cette histoire.

Depuis longtemps, nous avions prévu de visiter les îles Seychelles à l'époque où le froid saisit Paris. Quand il me le rappela, sans faire aucune allusion au malaise qui, un temps, nous avait désunis, je bondis sur l'idée. J'avais besoin d'un grand bol d'air bien chaud pour chasser les rêves ou les cauchemars, sortir de l'intersection dangereuse qui avait croisé notre route et oublier le grand tumulte de nos corps qui ne s'accordaient plus.

Dans l'île de Praslin où nous séjournions, d'entrée de jeu, il afficha le parti pris de la légèreté et de la bonne humeur. Il ne me quittait pas, gardait ma main serrée dans la sienne quand nous nous promenions et évitait de sortir un carnet pour croquer ce qu'il voyait. Nous nagions beaucoup, ensemble, dans les eaux transparentes et habitées de poissons multicolores. J'avais retrouvé de ma sérénité.

Plus le séjour avançait, plus je constatais que mes sentiments à l'égard de l'homme qui avait aimé la petite jeune fille blonde fluctuaient dans le bon sens. Mes sentiments, mais aussi le regard que je portais sur lui, et le désir que j'éprouvais en sa compagnie. A nouveau, des déplacements s'insinuaient. Le corps est versatile, il faut le savoir. En revanche, j'étais atteinte d'amnésie totale sur la période que je venais de consommer.

Le voyage sous les tropiques fut l'occasion d'une grande explication, d'un vrai déballage. Chacun jeta en pâture ce qu'il avait sur le cœur.

Le cœur, eh bien oui, le mien, recommençait à battre pour lui.

Je le suppliais de ne plus aimer le souvenir de la petite jeune fille blonde, de m'aimer telle que j'étais aujourd'hui, avec mes pensées et mes désirs d'aujourd'hui. Il écoutait et tournait en dérision les phrases qu'il ne voulait pas entendre. Je lui en faisais le reproche.

– Pour pouvoir vivre, je tourne en dérision tout ce qui me fait mourir de peur ! me répondit-il. Et que tu me quittes, ça me fait mourir de peur !

– Te quitter ? En voilà une idée !

Un matin, alors que j'étais seule sur la terrasse du bungalow, je décidai d'appeler l'hôpital, histoire de me mettre à l'épreuve. La brune me passa aussitôt Pierre. Sa voix n'était qu'un filet inaudible. Je racontai des choses sans trop d'intérêt pour distraire le silence qu'il m'imposait et dont je souhaitais comprendre la signification. Il bredouilla des paroles à propos des douleurs que provoquaient mon absence et mon éloignement. Des brûlures insupportables, précisa-t-il. Il serait contraint de me quitter, de ne plus me voir, si je recommençais à l'abandonner pour partir avec mon mari. Il refusait de souffrir. Ses mots chuchotés se perdirent dans le grésillement de la communication. J'enfilai un maillot et partis me jeter à l'eau. L'océan me portait sous un ciel sans nuages, à l'instar de mon esprit qui n'avait en rien été affecté par les malaises étranges de Pierre, mais au contraire s'en réjouissait parce qu'ils traduisaient sa passion.

– Qu'est-ce qui te rend si heureuse ? me demanda mon amoureux officiel dès qu'il m'eut rejointe.

– L'eau, les poissons, le soleil, le jeu de la vie, dis-je.

Il me prit dans ses bras et me serra si fort qu'il me fit mal.

– Je te serre pour que tu ne partes jamais.

– C'est peut-être toi qui partiras.

– Jamais ! Pour vivre comme je l'entends, j'ai besoin auprès de moi de quelqu'un qui donne un sens à ma vie. Ce quelqu'un, c'est toi.

Devant nous, l'étale de pleine mer ressemblait à l'avenir.

« Tout ce qui ne vous tue pas vous renforce. » Merci, Nietzsche !

J'avais passé un cap dangereux et je me félicitais d'avoir fait face à ce nouvel « ennemi ». En fait, nous l'avions contré ensemble, lui et moi, méditant chacun sur nos faiblesses, ainsi que sur les forces qui nous unissaient. Sur cette alliance des contraires qui faisait notre originalité et notre point d'ancrage. Pierre, sans s'éloigner du cercle de nos proches, s'était accommodé de notre amour.

Il y a plusieurs vies dans une vie, et c'est bien cela qui nous la rend attrayante. Une autre commençait.

L'amour résiste à toute logique, le désir aussi. Je venais d'en faire l'expérience. Ils vous tombent dessus comme une maladie plus ou moins grave. Des deux, le désir s'avérait le plus ambigu, fluctuant, influençable. Je décidai de maîtriser le mien pour qu'il s'accorde avec l'amour que je portais à celui qui avait un jour rencontré la petite jeune fille blonde. Le déplacement n'est pas magique. Pour l'avoir expérimenté, je sais que, pouvant puiser dans une réserve d'amour, il est réversible. Encore faut-il l'avoir constituée, cette réserve de sentiments forts et fidèles ! Ma période d'« innocence », celle de la petite jeune fille blonde justement, aura été, dans ce sens, la plus fertile. Au cours des premières années, j'ai ensemencé pour récolter et engranger le plein d'amour.

Tout allait pour le mieux. Restait une question : n'étais-je pas dans une situation de résignation ? Avais-je fait preuve d'un courage « ridicule », comme le qualifiait Stendhal ? « Ce courage ridicule qu'on appelle résignation, le courage d'un sot qui se laisse prendre sans mot dire. »

Face à l'amour irrésistible dont je faisais l'objet depuis tant d'années, certes j'avais abdiqué. Toute femme qui vit auprès d'un homme comme lui, mon dessinateur amoureux, détient une énorme capacité de résignation. Une résignation si positive qu'elle efface complètement l'éventualité d'une autre situation amoureuse où il serait possible de s'épanouir.

Le retour à la raison m'avait comme purifiée. J'aimais mon mari comme je ne l'avais jamais aimé. « Il n'est au monde rien de plus rare qu'une personne que l'on peut supporter tous les jours », écrivait dans les *Pensées*, Giacomo Leopardi. « Supporter », non cette expression est impropre, elle ne correspond pas à la situation. Cet homme-là vous épargne tout, vous fait la vie si légère qu'il n'y a surtout pas lieu d'avoir à le supporter. Il vit parallèlement à vous, sans jamais peser. Et pourtant, il vous aime.

– Hommes et femmes, on n'est pas faits pour vivre ensemble, affirme Patricia, sauf exception. Ton mari en est une ! Les hommes ne sont pas dans le sentiment. D'ailleurs, il n'y a pas de masculin à midinette !

– Il est dans le sentiment, et il ne s'en cache pas, dis-je. Je l'aime aussi pour ça. Parce qu'il ne s'en cache pas.

A ce moment de notre vie de couple est arrivé un événement que j'attendais depuis le jour où je suis entrée dans sa vie.

Notre fille avait émis l'idée de quitter nos jupons pour voir ailleurs de quoi était faite l'existence. Nous n'avions pas tardé à lui louer un appartement. Quelques années auparavant, ses deux sœurs étaient parties former d'autres cercles de famille.

Ainsi, un jour, nous nous sommes retrouvés seuls. En tête à tête. Ce tête-à-tête que j'avais imaginé presque trente ans auparavant. Je l'avais à moi, pour moi. Je ne le partagerais plus. J'éprouvais une immense joie. Je l'avais bien gagnée.

Marie, elle aussi, avait bien gagné de vivre seule avec son nouveau fiancé, son remarquable journaliste. Elle avait installé ses deux étudiants de fils dans un studio et coulait enfin des jours plus agréables. Quand nous en discutions, elle concluait : « C'est si difficile de s'accorder le droit d'être heureux ! »

Heureuse, l'était-elle Patricia ? Désormais, elle vivait « en pointillé » avec un homme. C'est-à-dire pas au quotidien. Non pas chambre à part, mais appartement à part. Pour elle, il n'y aurait pas d'accommodement.

Quant à Catherine, elle connaissait enfin le bonheur. Elle avait un nouveau compagnon dans sa vie : Steve. « C'est quelqu'un qui me soutient, m'aide, me réconforte, m'apprend, me respecte, affirme-t-elle. J'ai cinquante ans et c'est la première fois que je suis aimée. Peut-être pourras-tu dire de notre couple ce que je dis du tien : quand on vous regarde vivre, on a le sentiment d'une harmonie. »

Ainsi, l'harmonie s'affine. C'est le matin, trente ans plus tard. Début de journée. J'entre dans l'atelier où trois tables, quelques chaises et deux canapés supportent des piles de journaux, de livres, de dessins, d'archives. Il est déjà assis derrière son imposante table à dessin. Sur l'écran de télévision, CNN déroule ses nouvelles, tandis que, du poste de radio, s'échappent d'autres informations. De temps à autre, il jette un coup d'œil sur l'écran, tire à lui son carnet, prend des notes ou dessine un croquis. Puis reprend le labeur. Dès qu'il se sent noyé dans un trop-plein d'informations, il écoute du jazz. La seule musique supportable pour lui, la seule qui lui parle. Pas de la soupe, bien sûr, les meilleurs, ses préférés : Charlie Parker, Fats Waller, Dizzy Gillespie, Count Basie. Ma seconde naissance auprès de lui a baigné dans les airs inspirés de *Night in Tunisia* et de *The*

Man I love, et dans les mots de la littérature américaine qu'il m'a appris à apprécier. *Adieu ma jolie* de Raymond Chandler, *Le Faucon maltais* de Dashiell Hammett, dont il pouvait citer par cœur certaines répliques, Orwell, Huxley, Van Vogt, Faulkner faisaient partie de nos lectures communes de chevet.

J'aperçois son visage penché sur la feuille. Il soulève un peu le menton, écarquille les yeux, m'accueille d'un sourire, et de son regard de maquignon.

Phrases d'introduction sur la nuit. Résumé de la presse du jour. Grosses infos, petits faits divers. Il cogite déjà sur sa page blanche.

– Je n'ai pas encore vraiment le sujet, et je me demande si je vais le trouver...

– Mais si ! Tu dis toujours ça, et tu trouves !

Je ne m'en lasse pas !

Il a laissé les quotidiens du jour sur la table ronde. Je les feuillette, m'attarde sur certains articles, lis la dernière page de l'un d'entre eux. Il abandonne la feuille et le crayon, me rejoint, dépose un baiser sur mon épaule découverte. Mes lèvres esquissent un sourire, tandis que je continue ma lecture, il me prend dans ses bras d'où je cherche à m'échapper, à cause du temps qui court, parce que, le matin, je ne suis que lenteur. Je m'enfuis hors de la pièce. Dans le miroir, je l'aperçois. Il a repris sa place derrière la table à dessin, son regard me poursuit jusqu'à la porte et me brûle juste ce qu'il faut pour me donner envie de vivre pleinement la journée qui commence. Je me réfugie dans mon bureau. Je sais qu'il est là, près de moi, et qu'il m'aime. Rien ne peut m'atteindre. Rien ne peut me faire du mal. Sa présence dans ma vie, c'est ma force.

En même temps, ma faiblesse.

Je médite ses phrases que je collationne dans un coin de ma mémoire, comme dans un livre de chevet. Celle-ci, il l'a dite, hier soir, alors que je quittais sa chambre, étourdie, planante : « Le bruit que je préfère, c'est celui de tes pas dans le couloir qui mène à ma chambre, à mon lit. »

Je suis seule à savoir ce que cette phrase porte en elle. J'aime l'entendre parce qu'elle me réchauffe et me réconcilie avec la vie. Il y a aussi celle-ci qui me réconforte quand ma tête tourne à l'envers : « Tu sais toi comment le désir peut à ce point rester intact ? »

Je le crois, j'en suis certaine, j'en fais l'expérience : l'usure du désir n'est pas inéluctable. Pourrait-on le crier très fort sur les toits, pour faire tomber les idées reçues ! Parce que le désir, en fait, n'est jamais totalement acquis une fois pour toutes. Il faut savoir se séduire pour, chaque fois, le conquérir, le faire renaître.

Puis, il y a la fameuse phrase code qui a compté. Cette fois, c'est moi qui l'ai prononcée. Nous l'avions pensée ensemble, il n'est pas parvenu à l'exprimer. Pour ne pas perdre de temps, j'ai pris les devants. Cela a donné :

– Si l'on transformait la chambre de la petite, maintenant qu'elle est partie, en chambre de garçon pour toi ? Tu aurais ton lit à toi, tes livres de chevet, tes souvenirs à toi, tes photos et ta nuit pour toi.

– Tu viendras me voir ? Ou j'irai chez toi ? Il y aura donc un « chez-toi » et un « chez-moi » ?

– Je viendrai. Ce sera entre nous un nouveau code de vie. Ta chambre sera la chambre d'amour.

Il écoute mes propositions. Attentif, curieux, cherchant la raison et l'objectif. Puisant dans une idée émise ce qu'elle apportera de positif, d'inventif, de drôle, de décalé. Quelle dose accessoire d'excitation et de plaisir. Quelle observation plus originale du désir et de sa réalisation. Quelle forme de liberté. Souvent atteinte d'insomnies, je me lève à n'importe quelle heure. Lui s'est endormi en l'espace de quelques secondes, je trouble son sommeil. Le matin il est debout à une heure normale : moi, ou je vaque déjà à quelques occupations, ou je sombre dans la profondeur d'un néant que je ne souhaite pas abandonner. Il veut savoir si je vais rapidement passer à l'acte. S'il peut repérer les limites de ma détermination.

Je pense ne pas lui avoir dit grand-chose que je n'aie pas concrétisé. J'ai la pratique des passages à l'acte imminents. Le lendemain, les chambres sont réaménagées. Chacun retrouve ses photos-souvenirs et ses livres de chevet, ses objets et accessoires personnels et indispensables. Pour lui, c'est le premier soir sans mon corps et mon odeur, aussi sans mon carnet, mon crayon, ma radio, mes soupirs d'insomniaque, mes coupures de journaux, que j'empile sur le drap, et mes paupières baissées quand lui ouvre les yeux. Nous partageons beaucoup de choses, mais pas la chronobiologie.

Personnellement, j'ai le sentiment d'avoir récupéré ma chambre de jeune fille. J'étale mon bazar dans les plis du drap, ajoute une couverture supplémentaire sur mes pieds toujours gelés, ce qui auparavant, à l'époque du lit conjugal, m'était interdit, allume la radio, feuillette des magazines, annote quelques pages de roman, apprend deux ou trois vers d'un poète aimé, avale mes multiples gélules, une verte, une rose, deux jaunes. Soudain, j'interromps toute activité. Je pense à lui, à l'autre bout de l'appartement, dans la chambre qui jouxte son atelier. Le couloir me paraît mesurer des kilomètres. Je voudrais me lever pour le rejoindre, cependant mes muscles se relâchent, mon corps se recroqueville sur lui-même, mes paupières sont trop lourdes pour les garder ouvertes.

Le matin. Brumes à l'extérieur. La voix de Sarah Vaughan, à l'intérieur.

– Tu as bien dormi ? me demande-t-il. Je ne t'ai pas trop manqué ?

– Je ne comprends pas ce qui s'est passé, dis-je. Je me suis endormie sitôt couchée.

– Donc, ça te réussit de faire chambre à part. Moi aussi, j'ai bien dormi. Tu m'as juste manqué...

Le soir, nous rentrons du théâtre. Je me déshabille dans ma salle de bains. Il frappe à la porte, la pousse légèrement. Son visage se reflète derrière moi dans le miroir. J'ai compris ce qu'il veut.

– Tu viens me rejoindre ?

« Ce que j'ai de plus cher au monde, le bruit de tes pas... »

Un homme a une femme en tête. Cette femme, c'est moi.

La nuit durant, nuit blanche, je revis la scène à l'hôpital. Près de moi, l'interne qui parle et parle. Le flou perdure jusqu'au matin.

Au saut du lit, je compose plusieurs fois le numéro du service et repose le combiné. Enfin, je me décide. J'apprends qu'il est en salle d'opération. Combien de temps va durer le suspense ? L'interne est absent. Le standard me passe un autre interne qui ne sait rien. Je réédite en vain mon appel. Je n'en peux plus d'attendre. Je m'habille et fonce à l'hôpital.

Je le retrouve harnaché de perfusions. La poitrine parsemée de pastilles blanches. Il est pâle et dépeigné, mais ça, c'est comme à l'ordinaire !

– Ce n'est qu'un tout petit infarctus ! dit-il.

C'est bien lui ! Comme s'il avait à se faire pardonner d'avoir risqué la mort !

Je l'embrasse à pleine bouche, les yeux embués de larmes. L'infirmière, qui bricole les fils d'une machine à laquelle il est relié, comprend mon émotion. Elle me prend par le bras et m'invite à sortir. Dans le couloir, elle me fait un compte rendu détaillé de l'intervention. Le pontage n'a pas été nécessaire, le chirurgien a pratiqué une angioplastie, c'est-à-dire, pour faire simple, une remise à neuf des artères.

– Maintenant, je vous conseille de le surveiller, dit-elle. Sans régime, il risque gros.

Elle s'éloigne dans le couloir. A travers la vitre de la porte, je l'aperçois. Il est vrai que son teint n'est pas très coloré, mais dans ses petits yeux ronds se reflète à nouveau cette flamme que j'ai toujours connue et qui, depuis une bonne semaine, avait disparu.

– Pourquoi n'as-tu pas accepté de te soigner dès que les premières douleurs sont apparues ?

– En Corse ? Nous étions en vacances, je ne voulais pas t'inquiéter.

– C'est tout de même ta vie avant tout !

– Tu sais, à dire vrai, je croyais que j'étais devenu vieux, et qu'il n'y avait plus rien à faire. J'avais tenté d'oublier mon âge, il me rattrapait. Cette douleur ignoble que j'ai ressentie était celle de ma soixantaine dépassée. Elle était la preuve tangible que j'étais devenu vieux. Je ressentais les prémices d'un état dans lequel j'allais vivre désormais : l'inéluctable décrépitude !

Je suis effondrée par ses propos et par sa trop grande discrétion à l'égard de sa santé.

– Je te l'ai déjà dit, tu n'as pas écouté : la vieillesse n'est plus une fatalité. Tu ne seras jamais un vieux !

– Il y a toujours eu des vieux, pourquoi ça changerait ?

– Parce que la science a découvert les secrets de la vieillesse. La science, c'est du sérieux ! Même si l'on ne veut croire en rien, on peut croire en la science.

– Tu as raison ! Je vais croire en la science ! M'interdis-tu encore de vieillir ?

Je hoche la tête.

– C'est que tu m'aimes toujours ! Bon, d'accord ! Je vais déjà beaucoup mieux.

Nous rions d'un même plaisir, ce qui nous pousse à nous embrasser.

– Tu connais ma formule : une emmerdeuse est une amoureuse. J'aime bien que tu sois une emmerdeuse.

Il s'empare du carnet et du crayon posés à proximité du lit et caricature la scène.

– Tu as dessiné la petite jeune fille blonde...

Il sourit.

– C'est juste pour rire !

Son regard pèse sur moi comme aux premiers jours. Son regard de maquignon. Il ne m'irrite plus, m'attendrit plutôt. J'ai envie de lui dire : je t'aime. Le mot a tellement perdu de sa consistance, de son intimité, à force d'être clamé à tort et à travers. Mon silence est plus explicite. Il n'y a plus de langue du cœur.

Deauville, quelques mois plus tard.

Nous occupons la table, au bord des

planches, celle de la première fois, du premier dîner de notre premier week-end. Face à la mer noire et houleuse, malgré l'été, mais un été qui ne parvient pas à s'installer. La mer ne dort pas. La mer ne dort jamais. Les vagues battent le sable de la plage où quelques tentes à toile rayée ont résisté au vent de la côte et abritent des promeneurs noctambules. Entre ciel et nuages, des mouettes éparses s'échappent à grands cris vers quelques rares étoiles.

J'observe les couples autour de nous. Les vrais, les faux, les tristes, les recollés, les « sur-le-retour »...

– Et nous ? interroge-t-il.

– Nous, ça a toujours été différent des autres, dis-je, sûre de moi. Surtout pas de fusion – la fusion, c'est la voie vers la jalousie et la domination. De la pathologie !

– C'est vrai, c'est comme si nous étions ailleurs, dans une autre histoire que celle des couples en général.

Dans notre cas, il est inutile de chercher à comprendre. Il nous suffit de vivre notre histoire, une sorte de savoureux cocktail : autant d'humour que d'amour ! Il me dépose un baiser sur les lèvres.

– La force de pouvoir rire des choses de la vie est la meilleure arme du couple.

DU MÊME AUTEUR

ROMANS

Au diable vauvert,
Flammarion
Le Maître d'amour,
Flammarion
La femme qui aimait les hommes,
Albin Michel
Graines de femme,
Albin Michel
La Tragédie du bonheur,
Albin Michel
La Chambre d'amour,
Albin Michel

ESSAIS

Des femmes dans le monde,
(en collaboration), Éditions sociales
L'Adoption, une autre naissance,
Bernard Barrault
Lettre ouverte aux hommes
qui n'ont toujours rien compris aux femmes,
Albin Michel
Si tu veux maigrir, mange !
Albin Michel
Nous serons toujours jeunes et beaux,
Albin Michel

CONTES

La Divine Sieste de Papa I et II,
La Farandole
Dis Maman, y a pas de dames dans l'histoire ?,
La Farandole
Les Sorcières du Boisjoli,
Hatier

La composition de cet ouvrage
a été réalisée par I.G.S. Charente Photogravure,
à l'Isle-d'Espagnac,
l'impression et le brochage ont été effectués
sur presse Cameron dans les ateliers
de Bussière Camedan Imprimeries
à Saint-Amand-Montrond (Cher),
pour le compte des Éditions Albin Michel.

Achevé d'imprimer en juin 2002.
N° d'édition : 20986. N° d'impression : 022855/4.
Dépôt légal : mai 2002.
Imprimé en France